Como Ter Saúde e Vitalidade

PARAMHANSA YOGANANDA

Como Ter Saúde e Vitalidade

A Sabedoria de Yogananda

Tradução:
GILSON CÉSAR CARDOSO DE SOUSA

Editora Pensamento
SÃO PAULO

Título original: *How to Achieve Glowing Health and Vitality.*

Publicado mediante acordo com Crystal Clarity Publishers, 14618 Tyler Foote Road, Nevada City, CA 95959 USA — www.crystalclarity.com

1ª edição 2014.

3ª reimpressão 2019.

Editor: Adilson Silva Ramachandra
Editora de texto: Denise de C. Rocha Delela
Coordenação editorial: Roseli de S. Ferraz
Produção editorial: Indiara Faria Kayo
Editoração eletrônica: Fama Editora
Revisão: Yociko Oikawa e Vivian Miwa Matsushita

CIP-BRASIL- CATALOGAÇÃO NA PUBLICAÇÃO
SINDICADO NACIONAL DOS EDITORES DE LIVROS, RJ

Y53c

Yogananda, Paramahansa

Como ter saúde e vitalidade: a sabedoria de Yogananda / Paramahansa Yogananda; tradução Gilson César Cardoso de Sousa. 1. ed. — São Paulo: Pensamento, 2014. 128 p.: il.; 21 cm.

Tradução de: How to achieve glowing health and vitality
Apêndice
ISBN 978-85-315-1868-3
1. Saúde. 2. Hábitos alimentares 3. Qualidade de vida. I. Título.

14-10644 CDD: 613
CDU: 613

Direitos de tradução para o Brasil adquiridos com exclusividade pela EDITORA PENSAMENTO-CULTRIX LTDA., que se reserva a propriedade literária desta tradução.
Rua Dr. Mário Vicente, 368 — 04270-000 — São Paulo — SP
Fone: (11) 2066-9000
http://www.editorapensamento.com.br
E-mail: atendimento@editorapensamento.com.br
Foi feito o depósito legal.

Sumário

Capítulo 1

Fortaleça o Corpo com a Energia Vital

Logo abaixo da carne há uma poderosa corrente.
Escavando com a pá da Autorrealização,
Reencontrei essa Força Vital.
Eu e meu Pai somos Um.
Não sou a carne.
Sou um feixe de eletricidade *por trás* deste corpo.

A Energia Cósmica está dentro e em volta de nós, revitalizando nosso corpo o tempo todo. Você pode invocar esse suprimento eterno para tornar seu corpo apto em todos os sentidos. Um corpo perfeito, livre de doenças, opõe menos obstáculos às práticas para alcançar a Autorrealização.

A maioria dos exercícios estimula apenas os músculos e, assim, a consciência animal — não a natureza sutil. Aqui, você aprenderá a se concentrar em sua Energia Vital e força de vontade, e a sentir sua natureza espiritual sutil. Vida e força não dependem unicamente de alimento ou exercício, são sustentadas também pelo poder interior. Uma pessoa morta não pode reviver se lhe dermos comida, nem ficar forte se a fizermos se exercitar artificialmente com halteres — porque a Energia Vital não está mais nela.

Nossos pensamentos, vontade, emoções, força muscular, funcionamento normal dos órgãos e glândulas — tudo isso depende, para existir, da Força Vital. Bilhões de células, em nosso corpo, são mantidas vivas e funcionando adequadamente graças a esse poder vital secreto.

O corpo humano é rodeado por um halo de Energia Cósmica consciente. Por intermédio das vibrações da Energia Cósmica, a inteligência de Deus supre nosso corpo com a Força Vital. A *medulla oblongata* (a "boca de Deus") é a antena que capta energia da Consciência Cósmica.

Pela vontade consciente, você pode introduzir Energia Vital em seu corpo através da *medulla oblongata*, a fim de substituir a energia gasta com os pensamentos, as emoções e as atividades físicas. A vontade funciona como uma ponte entre a Energia Vital do corpo e a Energia Cósmica que o rodeia. Se você seguir estes ensinamentos, aprenderá a absorver a Energia Vital Cósmica para tonificar cada célula do seu corpo. Vai se sentir *como Energia Vital* — e não apenas como um corpo composto de ossos e músculos.

Exercitar-se com vontade e concentração canaliza energia diretamente para dentro do corpo. Essa energia é rapidamente absorvida pelos músculos, pelo sangue, pelos ossos e pelos nervos para o rejuvenescimento celular. Os exercícios Yogoda proporcionam o máximo de energia com o mínimo de destruição celular.

Quanto maior a vontade, maior o fluxo de Energia Vital. Homens e animais agressivos manifestam uma força anormal, que não se deve ao fato de seus músculos ficarem mais fortes durante o curto acesso de cólera. A vontade, estimulada pela cólera, é que provoca um fluxo extra de Energia Vital ou força para seus corpos.

Você deve depender cada vez mais do suprimento inesgotável de Energia Cósmica e cada vez menos de outras fontes energéticas. Comer o tempo todo fará com que seu corpo envelheça mais rapidamente. A única maneira de manter o corpo jovem é unir a consciência humana à Consciência Cósmica.

A mente humana nunca deve ser hipnotizada pelas limitações humanas da doença, velhice e morte, mas sempre se lembrar, no íntimo: "Eu sou o Infinito, que se tornou meu corpo. Este, como manifestação do Espírito, permanecerá sempre jovem".

Como Recarregar o Corpo de Energia

Primeiro, levante o braço e abaixe-o. O que levantou seu braço? A força de vontade e a energia. Agora, feche os olhos. Você consegue levantar o braço sem querer fazer isso? A força de vontade, sozinha, pode levantá-lo? Não. Esse gesto exige ao mesmo tempo força de vontade e energia. A força de vontade é o comutador que controla o fluxo de energia.

Mas você sabe como a força de vontade e a energia atuam? A resposta é: fluindo para as diferentes partes do corpo. Queremos músculos, ossos, medula, sangue e tecidos saudáveis; em cada um deles, a energia funciona como uma bateria. Assim como a bateria de um automóvel exige eletricidade e água destilada para se manter "viva", a bateria do corpo precisa se recarregar com força vital por intermédio da *medulla*, e também com alimento e outros meios físicos de sustentação da vida.

A eletricidade transforma a água destilada na força que recarrega a bateria do automóvel; a Energia Vital converte oxigênio, sólidos e líquidos na força que nos mantém vivos. Os alimentos são produto dessa Energia Vital e, quando você os põe no estômago, eles se transformam de novo em energia a ser usada pelo corpo. Seu suprimento de energia depende das substâncias químicas que você coloca no corpo e da energia absorvida por intermédio da *medulla.*

Comparação do Movimento Mecânico e da Vontade

EXEMPLO I

1. Estenda o braço direito à frente.

2. Com a mão esquerda, segure de leve o bíceps do braço direito.

3. Curve o braço direito na altura do cotovelo e sinta a contração automática do bíceps, provocada pelo movimento mecânico do braço.

Observe que a ação da vontade incide sobre o encurvamento do braço e não sobre a contração do bíceps.

EXEMPLO II

1. Relaxe completamente o braço direito ao lado do corpo.

2. Com a mão esquerda, segure de leve o bíceps do braço direito.

3. Feche os olhos.

4. Sem curvar o braço direito nem fazer com ele nenhum outro movimento mecânico, contraia lentamente o bíceps ao máximo, usando a força de vontade.

5. Relaxe lentamente.

Note que a contração do bíceps, se completada com êxito, é a ação direta da vontade sobre o músculo. (Caso você não consiga fazer isso com o braço, tente a experiência com o antebraço, que algumas pessoas acham mais fácil contrair.)

❦ ❦ ❦

Energia e Força de Vontade

Levante o braço direito paralelamente ao chão, com a palma para cima. Mantenha-o assim. Observe que certa quantidade de vontade e energia conserva seu braço nessa posição. Se você remover a força de vontade do braço direito erguido, ele cairá, atraído pela gravidade, e ficará pendendo ao lado do corpo. O braço cairá também se a energia for retirada.

Agora levante o braço direito e contraia-o o suficiente para sustentar um peso imaginário de 3 kg. Em seguida, um de 5 kg. E, por fim, um de 7 kg. Relaxe e deixe o braço cair.

Para segurar um peso de 3 kg real ou imaginário, você precisa *querer* segurá-lo e usar a *energia* necessária para isso. Da mesma forma, para segurar um peso de 5 ou 7 kg, terá de aumentar a força de vontade e a quantidade de energia enviada ao braço.

Essa experiência de erguer pesos imaginários prova que um ato de pura consciência, ou vontade, produz energia real numa parte do corpo. A força de vontade é o comutador invisível da consciência que manda energia a qualquer parte do corpo e, nessa parte, provoca contração. É fato fisiológico que, quanto mais aplicarmos vontade num determinado ponto do corpo, maior será o fluxo de corrente nervosa elétrica para esse ponto e mais forte será o movimento muscular por ela provocado.

Se você *imaginar* que está enviando energia ao braço direito, conseguirá talvez encaminhar para ele uma fraca corrente; mas, pela *força de vontade*, enviará perceptivelmente energia. *Querendo* energizar o braço direito, gerará energia sentida como poder e criará tensão nos músculos.

A vontade é o fator primordial que provoca mudanças no fluxo de energia para os músculos ou qualquer outra parte do corpo. Assim, você percebe a estreita relação entre vontade e energia: "Quanto maior a vontade, maior o fluxo de energia".

Um Exercício com o Emprego de Contração

Sente-se numa cadeira. Contraia o corpo todo e relaxe, mantendo-se imóvel. Incline-se para a frente, abaixe os braços, junte as mãos e segure uma corda imaginária amarrada a um peso imaginário de 12 kg. Use força de vontade e energia suficientes para erguer o peso cerca de 3 cm do chão — contraindo as mãos, os antebraços, os braços, o peito, o abdome, os quadris, as coxas, as pernas e os pés. Contraia-se ainda mais e continue levantando o peso: 6 cm, 15 cm,

30 cm. Ficou bem pesado! Agora solte o peso imaginário e endireite-se na cadeira, relaxado e imóvel.

Quando você ficar mais forte, erga pesos imaginários de 15 a 20 kg, usando o grau exato de contração exigido por cada um. Em seguida, relaxe. (A melhor maneira de saber a quantidade certa de energia requerida para erguer determinado peso é erguer o peso real e sentir quanta vontade e energia são necessárias.)

Graus de Contração e Relaxamento

A contração ocorre quando a energia é enviada, pela força de vontade, a um músculo qualquer. Há vários graus de contração, dependendo da quantidade de energia enviada aos músculos. Consideraremos aqui três graus: baixa, média e alta contração. A baixa contração exige uma quantidade pequena de energia; a média, uma quantidade um pouco maior; e a alta, a maior possível. A retirada da energia dos músculos chama-se relaxamento, que também pode ocorrer em três etapas ou graus, resultando em relaxamento parcial ou completo.

Você aprenderá a distinguir entre os três graus praticando o seguinte exercício: levante o braço esticado para a frente, paralelo ao chão; segure o antebraço logo abaixo do cotovelo com os dedos da mão esquerda e pressione levemente. Mantenha o antebraço imóvel e relaxado com o apoio dos dedos e da palma. Sinta o grau de contração:

1. Baixa contração: feche parcialmente os dedos da mão direita e perceba a baixa contração dos músculos do antebraço.

2. Contração média: feche os dedos pela metade e perceba a contração média.

3. Contração alta: feche bem os dedos e perceba a contração alta.

Agora, deixe pender o braço ao lado do corpo. Com os olhos fechados, contraia-o ao máximo. Abra os dedos pela metade; abra a mão quase completamente; deixe os dedos se relaxarem completamente, assim como a mão. Desse modo, você experimentou os três graus de relaxamento, que terminou com a descontração completa dos músculos usados.

Durante o relaxamento, preste atenção à retirada gradual da energia e ao afrouxamento dos músculos. ("Relaxe e aproveite.") Pela contração, a energia entra no corpo; pelo relaxamento, ela sai.

Faça o exercício acima com qualquer parte do corpo, deitado de costas numa cama dura ou num cobertor estendido no chão. Ao relaxar o antebraço ou braço, certifique-se de deixar o membro pendente ao lado do corpo, sem levantá-lo. Para levantá-lo, você terá de contrair os músculos que executam esse movimento.

A finalidade da contração e relaxamento é dissociar a força vital e a mente da consciência do corpo. Quando isso é feito, a vontade e a força vital realmente *possuem* o corpo inteiro e podem, por intermédio de seus raios terapêuticos, remover dele qualquer deficiência crônica.

Os Exercícios Yogoda

Nota do Editor da edição inglesa: Yogananda começou a ensinar os Exercícios Yogoda, em 1918, em sua escola primária de Ranchi, Índia.

Nas aulas da década de 1920, divulgou os exercícios dados abaixo e no Apêndice. Nos anos seguintes, inseriu-os num sistema completo de 39 exercícios para recarregar todas as partes do corpo e chamou-os de Exercícios de Energização. Yogananda considerava esse sistema uma técnica fundamental do caminho do Kriya Yoga.

O sistema Yogoda é uma das grandes descobertas da ciência da cultura física e interior.

A palavra Yogoda deriva de *Yoga* ("harmonia" ou "equilíbrio") e *da* ("aquilo que propicia"). Portanto, Yogoda significa o sistema que propicia harmonia e equilíbrio a todas as forças e faculdades responsáveis pela perfeição do corpo, da mente e da alma.

O sistema Yogoda suplementa e completa outros sistemas de exercícios, revolucionando antigas ideias sobre a evolução dos tecidos do corpo e das faculdades mentais. Pelo exercício correto da vontade, o sistema Yogoda recupera tanto células mortas dos tecidos quanto faculdades mentais desgastadas, ajudando na formação de bilhões de células novas. Por meio do sistema Yogoda, os diversos tecidos — ósseo, muscular, conectivo, nervoso e adiposo — se formam na proporção correta. A circulação, a respiração, a digestão e todos os outros processos involuntários do corpo se harmonizam e se revigoram, ao mesmo tempo que a mente se purifica.

O sistema Yogoda é o remédio mais seguro e eficaz para as doenças do corpo e a desarmonia da mente. Ele age como um bálsamo curativo para as anormalidades dos nervos, estômago e abdome. Combate a constipação acelerando os movimentos peristálticos dos músculos intestinais e estimulando as secreções do fígado, pâncreas, etc. Cura dores de cabeça, gota e reumatismo regulando a circulação; e elimina gripes e bronquites exercitando adequadamente as células dos pulmões. A capacidade do cérebro e a memória melhoram graças ao maior suprimento de sangue. Esses exercícios aumentam a vitalidade geral, daí resultando um ótimo desenvolvimento da força dos tecidos e dos nervos, o que significa maior longevidade.

O sistema Yogoda ensina a arte de enviar conscientemente a força vital curativa a qualquer parte do corpo que esteja enferma.

Uma vez aprendido o sistema Yogoda, dez minutos diários de prática darão resultados que a maioria das outras formas de exercício não consegue alcançar. Ele evita os maus efeitos de alguns outros sistemas, como o cansaço do coração e outros órgãos, e a incapacidade de proporcionar um desenvolvimento geral. Ajuda o praticante a concentrar a atenção, dispersa pelos sentidos e hábitos irrequietos, em uma coisa de cada vez.

Os exercícios com aparelhos (halteres, por exemplo) são mecânicos. Não mobilizam o envolvimento ativo e pleno da vontade nem, consequentemente, a sensação de um fluxo fácil e suave, gerando apenas choques no corpo.

Como, o mais das vezes, não conhecemos a força exata de nossos músculos e nervos, quando começamos a usar aparelhos indiscriminadamente podemos machucar o sistema nervoso e a musculatura. Quando fazemos exercícios sem a devida concentração, a vontade é impedida de preparar os músculos para aceitar os movimentos.

Você quer força ou saúde? A resposta talvez seja: "Ambas". Mas lembre-se: atenção demais ao ganho de força o levará a perder a verdadeira saúde — pois o coração, os pulmões e outros órgãos vitais poderão ficar sobrecarregados e, portanto, enfraquecidos, como ocorre a um motor desgastado. Os exercícios Yogoda lhe darão saúde, robustez e vigor maravilhosos, além de uma sensação de frescor em cada tecido e força mais que suficiente.

Às vezes, uma pessoa desenvolve muita força nos membros e nem por isso goza de boa saúde. É engano supor que o único objetivo dos exercícios físicos seja o ganho de força. Existem outros tecidos e órgãos no corpo humano além dos músculos. O bom funcionamento dos pulmões e do estômago é muito mais importante que uma grande força nos braços, pernas ou costas. É insensato cultivar somente a força dos músculos, negligenciando órgãos vitais e sobretudo a vontade, que vivifica todos eles.

O Sistema Yogoda se Baseia em Verdades Eternas

O sistema Yogoda é ao mesmo tempo um método de cura e um método de prevenção da doença, da fraqueza mental e da dor. Baseia-se na verdade, corroborado pela experiência e fortalecido pela persistência.

Os exercícios Yogoda previnem o endurecimento das artérias e garantem juventude duradoura porque estimulam uma circulação regular e ajudam a expelir matéria estranha do sistema. Restaura, aumenta e robustece os tecidos; desperta músculos preguiçosos; forma tecido ósseo; e acelera funções involuntárias como as do coração, pulmões, estômago e intestinos, vasos capilares, glândulas linfáticas, veias e cérebro. Em geral, não temos controle direto sobre a circulação, a digestão e outros processos involuntários do corpo. Contudo, podemos influenciá-los pelo exercício dos músculos voluntários, que controlamos.

O sistema Yogoda nos ensina a rodear cada célula do corpo com um anel de energia vital elétrica supercarregado, para manter as células livres de envelhecimento e agressões bacterianas. Esse sistema espiritualiza as células do corpo, convertendo-as em força vital anímica e elétrica imperecível.

Um Inesgotável Suprimento de Energia Vital

A relutância mental sempre provoca uma carência de energia física, ao passo que a disposição sempre traz um suprimento fresco de energia. Por esses fatos, percebemos a relação sutil entre energia e força de vontade.

A técnica psicofísica especial do Yogoda permite à pessoa entrar em contato com a corrente vital específica localizada na *medulla oblongata* juntamente com a Energia Vital Cósmica que rodeia e permeia o corpo, assegurando-lhe um suprimento inexaurível. Jamais diga: "Estou cansado". Trabalhe com boa disposição. E, ao trabalhar, sinta a energia eterna fluindo continuamente em você.

Toda pessoa quer ser grande em seu próprio campo, mas nem sempre consegue realizar esse desejo. Por quê? Porque não tem controle sobre seu corpo. O Yogoda nos permite controlar cientificamente cada parte de nosso corpo: membros, músculos, órgãos vocais, etc. O Yogoda mantém músculos e tecidos — o corpo todo — disciplinados, despertos e sempre prontos para entrar em ação de acordo com as ordens da Imperatriz Vontade.

O Yogoda é resultado de anos de pesquisa e experimentos. É muito simples e praticável; pode ser aprendido e aplicado com facilidade. Seus efeitos são positivos e "construtivos" num grau até hoje desconhecido. Quando for mais divulgado e praticado, provará ser um dos maiores benefícios jamais conferidos à humanidade.

A Prática dos Exercícios

Os alunos precisam se lembrar de que os exercícios Yogoda devem, a princípio, ser feitos lenta, delicada e ritmicamente, nunca com pressa. Cada movimento tem de ser harmonioso. Se uma parte do corpo estiver fraca, envie para ela energia, bem devagar e suavemente, usando apenas a contração baixa. Essa parte irá aos poucos se fortalecendo. Pelo esforço intenso, você poderá curar-se bem depressa, pois o Yogoda lhe dá o poder de colocar a fonte curativa, a Energia Vital Cósmica, em contato com os tecidos doentes. Você sentirá o fluxo real de energia se dirigindo para a parte de seu corpo que quiser curar. A vibração que percebe num músculo não é movimento voluntário; ela é causada pela carga de energia introduzida no corpo.

Em todas as circunstâncias, mantenha a espinha reta e o corpo ereto. O sistema Yogoda lhe dará graça e liberdade de movimentos para dançar, nadar, lutar e caminhar. Mas, principalmente, lhe ensinará que você não é seu corpo, que este é apenas seu servo e que você é a Energia Vital imperecível.

Exercite-se muito lentamente, com dedicação e prazer. Feche os olhos, pois assim a concentração é maior e as correntes de energia são impedidas de escapar por eles. Mais de uma ou duas repetições de cada exercício não são necessárias se a regra acima for seguida. Pratique regularmente ao se levantar ou sempre que estiver cansado.

Quando fizer os exercícios, fixe a mente na *medulla* e imagine a energia fluindo a partir dela para todas as partes de seu corpo. Com a mente fixa na *medulla*, você logo aprenderá a extrair energia do éter e mandá-la à vontade para qualquer parte do corpo, sem o processo físico de contração e relaxamento. Pense sempre: "Estou calmamente ativo; estou ativamente calmo. Sou o Príncipe da Paz sentado no trono do equilíbrio".

Feche os olhos e concentre-se na *medulla*. Sentindo ou visualizando a luz que ali brilha, repita: "Tua corrente cósmica flui em mim, flui em mim, através de minha *medulla* flui em mim, flui em mim. Penso que a corrente flui e quero que ela flua por todo o meu corpo. Estou carregado, estou curado, estou carregado, estou curado. Relâmpagos me atravessam. Estou curado, estou curado".

Primeiro Exercício

1. Bem de leve, contraia e relaxe cada parte do corpo contando de 1 a 20, dizendo mentalmente: "Filhos meus, acordem". Concentre a atenção no centro do músculo e, deva-

gar, vá contraindo a parte do corpo com contração baixa, média e alta. Relaxe devagar e completamente. Contraia e relaxe (contando de 1 a 20): pé esquerdo, pé direito, panturrilha esquerda, panturrilha direita, coxa esquerda, coxa direita, quadril esquerdo, quadril direito, abdome (abaixo do umbigo), estômago (acima do umbigo), antebraço esquerdo, antebraço direito, braço esquerdo, braço direito, lado esquerdo do peito, lado direito do peito, lado esquerdo do pescoço, lado direito do pescoço, parte frontal do pescoço e nuca — em sucessão lenta e rítmica.

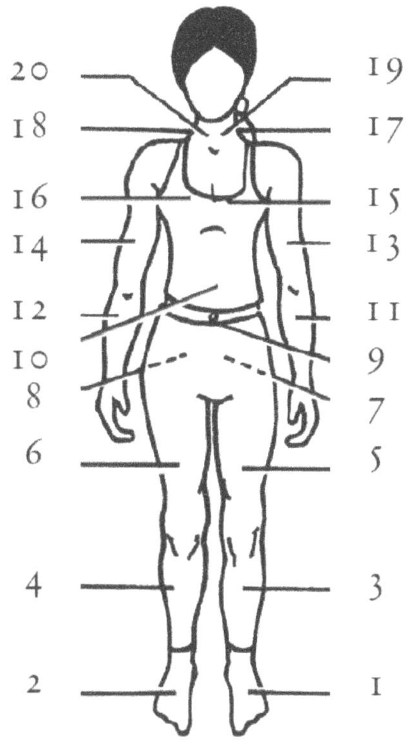

Contração das 20 partes do corpo

2. Agora, contraia todas as partes do corpo (com contração baixa, média e alta) e mantenha a contração alta em cada uma delas enquanto vai subindo pelo corpo (contando de 1 a 20), contraindo: pé esquerdo, pé direito, panturrilha esquerda, panturrilha direita, coxa esquerda, coxa direita, quadril esquerdo, quadril direito, abdome (abaixo do umbigo), estômago (acima do umbigo), antebraço esquerdo, antebraço direito, braço esquerdo, braço direito, lado esquerdo do peito, lado direito do peito, lado esquerdo do pescoço, lado direito do pescoço, parte frontal do pescoço e nuca — em sucessão lenta e rítmica.

Suavemente, faça vibrar o corpo inteiro, mantendo todas as 20 partes contraídas, segurando a respiração, contando mentalmente de 1 a 6 e procurando perceber se todas as partes estão de fato contraídas ou não.

Expire e aos poucos vá relaxando a cadeia de partes contraídas, em ordem inversa (da cabeça aos pés, isto é, de 20 a 1). (Se, ao relaxar as partes de cima da cintura, perceber que relaxou sem querer as partes de baixo, contraia de novo, simultaneamente, todas essas últimas e vá relaxando-as em ordem descendente, uma por uma.)

Ao aplicar essas técnicas, você provavelmente sentirá pela primeira vez a diferença entre carne e energia.

Quando acordar de manhã, não pule da cama. Siga a rotina de energizar-se ainda deitado. Feche os olhos. Primeiro, relaxe todas as partes e ofereça-lhes um "café da manhã" de energia contraindo o corpo inteiro lentamente e depois relaxando. Contraia e relaxe devagar, sem pressa. Depois de aprender a se concentrar, saberá também como retirar energia do corpo dessa maneira e direcioná-la para Deus.

Sempre que quiser relaxar uma parte do corpo, contraia-a suavemente, mantenha a contração contando de 1 a 3, relaxe rapidamente e sinta a energia escapando. Conserve a parte relaxada imóvel, esquecendo-a.

Não há melhor método de relaxamento do que este que você está aprendendo agora. Quando se sentir cansado ou aborrecido, contraia e relaxe o corpo todo, expelindo o ar dos pulmões; desse modo, se acalmará.

Nota do Editor: se quiser experimentar mais doze Exercícios Yogoda muito úteis, consulte o Apêndice.

Exercícios para Cura com a Força Vital

A melhor maneira de promover a cura é utilizar a força vital. Os exercícios seguintes, como você verá, são imensamente benéficos para qualquer tecido ou órgão debilitado do corpo.

Para curar qualquer parte do corpo: contraia e descontraia suavemente essa parte. Faça a contração baixa e mantenha-a, contando mentalmente de 1 a 10 e "eletrocutando" a doença com a força vital. Relaxe. Repita dez vezes, três vezes por dia com o estômago vazio. Assim como uma bateria descarregada é recarregada por um dínamo, assim a manutenção da contração em qualquer parte do corpo recarrega essa parte. Pense que a energia elétrica de Deus está fluindo em você e conecte sua força de vontade com a energia divina em seu corpo.

Pratique deitado a cura de qualquer parte do corpo. Você pode fazer isso de pé, mas então terá de mobilizar alguns músculos dos pés, panturrilhas e coxas para se manter ereto.

Para eliminar a dor de um braço ou perna; ou fortalecer um membro: contraia o membro suavemente, concentrando-se profundamente durante a expiração e contando de 1 a 20; em seguida, relaxe e inspire. Repita seis vezes todas as manhãs ou sempre que necessário.

Para fortalecer os joelhos: expire e agache-se rapidamente, equilibrando-se nas pontas dos pés, a coluna reta. Rapidamente, levante-se e inspire. Segure a respiração e contraia suavemente o corpo todo, depois expire e relaxe. Repita dez vezes, de manhã e à noite.

Exercício para a garganta a fim de eliminar resfriados e estimular as cordas vocais: com a boca fechada, enrole e desenrole a língua. Pratique dez vezes. Em seguida, encoste o queixo no peito e contraia a frente do pescoço. Levante o queixo, relaxe e deixe-o pousar no peito. Pratique uma vez.

Para dores de cabeça: pressione bem de leve uma das palmas na nuca e a outra na testa. Inspire, segure a respiração e, suavemente, contraia o alto da cabeça com muita atenção. Expire e relaxe o alto da cabeça. Se estiver com dor de cabeça, repita de quatro a seis vezes, conforme o necessário.

Para aumentar a capacidade do cérebro: expire e segure a respiração. Contraia suavemente os músculos da cabeça, concentrando-se totalmente nesse ponto, conte de 1 a 5, inspire e relaxe. Repita seis vezes.

Para fortalecer os nervos: inspire e segure a respiração. Suavemente, contraia o corpo inteiro de uma vez e mantenha a contração, contando de 1 a 20; concentre-se inteiramente em todo o corpo. Expire e relaxe. Imóvel, goze a calma do corpo. Repita três vezes por dia ou sempre que se sentir fraco e nervoso.

Para fortalecer os olhos: expire e segure a respiração. Feche os olhos e contraia de leve as pálpebras e sobrancelhas. Mantenha a contração, fixando toda a atenção nos olhos, conte de 1 a 20 e relaxe as pálpebras. Inspire. Repita sete vezes, de manhã e à noite.

Afirmação para se Fazer Depois de Todos os Exercícios Yogoda

Ó Energia Eterna!
Desperta em mim a vontade consciente,
a vitalidade consciente, a saúde consciente.
Boa vontade a todos, vitalidade a todos, boa saúde a todos.
Ó Energia Eterna!
Por Teu Poder eu sei que, mediante a contração,
introduzo energia no corpo

e, mediante o relaxamento, retiro-a.
Sou o guardião do corpo aqui mandado por Tua Graça:
governo-o, mas não me identifico com ele.

Ó Energia Eterna!
Dá-me paciência espiritual
para que eu pratique regularmente os exercícios
de manhã e à noite,
da melhor maneira que puder.

Eterna juventude do corpo e da mente, habita em mim
para sempre, sempre, sempre!
Minha mente, desperta! Não durmas mais, desperta!
Não durmas mais, desperta, não durmas mais!
Paz! Paz! Paz!

Sou forte, sou a força, sou saudável, sou a saúde,
sou bem-sucedido, sou o sucesso,
sou feliz, sou a felicidade, sou pacífico, sou a paz,
sou Imortal, sou a Imortalidade.

Paz, Felicidade, Paz!

❦ ❦ ❦

Mais Afirmações e Preces por Energia Divina

Ó Espírito, ensina-me a curar o corpo recarregando-o
com Tua Energia Cósmica, a curar a mente

com concentração e sorrisos, a curar a alma
com a intuição nascida da meditação.
Faze-me sentir que meu coração palpita em Teu seio
e que Tu caminhas por meus pés,
respirando por meus pulmões, movimentando-se por meus membros
e tecendo pensamentos em meu cérebro.
Faze com que eu seja o que Tu és, para que eu veja
a pequena bolha que sou flutuando em Ti!

❦ ❦ ❦

Deus amado, carrega meu corpo com Tua vitalidade.
Carrega minha mente com Teu poder espiritual.
Carrega minha alma com Tua alegria, com Tua imortalidade.
Pela Autorrealização dentro de mim, encontrarei
a emancipação que conduz a Ti.

❦ ❦ ❦

Vivo, ando e tenho meu ser no Espírito,
como o peixe vive na água e o pássaro, no ar.
Extrairei conscientemente força, saúde e felicidade
dessa Onipresença.

❦ ❦ ❦

Ó Energia Cósmica Consciente,
só Tu amparas diretamente meu corpo.
Alimentos sólidos, líquidos e gasosos são convertidos
e espiritualizados em energia por Tua Energia Cósmica.

Ensina-me, ó Espírito, a viver cada vez mais
pela Energia Cósmica direta e cada vez menos pelo alimento.
Tua energia queima na lâmpada de meus cinco sentidos.
Recarrego-me com Tua Energia Cósmica onipresente.

❦ ❦ ❦

Que a força vital carregue,
Com a vontade Divina,
Meus nervos e músculos todos,
Meus tecidos, membros e o resto.
Com fogo vibrante e trepidante,
Com cálido poder jubiloso,
No sangue e nas glândulas,
Por ordem soberana,
Mando que fluas.
Por minha ordem,
Mando que brilhes.
Por minha ordem,
Mando que resplandeças.

❦ ❦ ❦

Sinta eu que Tu és a eletricidade de minha vida,
que move o mecanismo
de meus ossos, nervos e músculos.
A cada palpitar do coração, a cada alento,
a cada explosão de atividade vital,
ensina-me a sentir Teu poder.

❦ ❦ ❦

Rejuvenescer significa viver plenamente e sentir-se jovem até o fim da vida. Você deve aprender a rejuvenescer o corpo não apenas por meio de uma dieta adequada, mas também da Energia Vital, graças ao desenvolvimento da força de vontade. Você pode, por intermédio desta, trazer energia para seu corpo. Todos nós podemos rejuvenescer. Quando nosso corpo se recarrega a partir da Fonte Infinita, aprendemos a sorrir a partir da alma.

Para além da onda que é o nosso corpo existe o vasto oceano de Deus; para além de nossa alma reside a sabedoria de Deus; e para além de nossa mente brilha a inteligência de Deus. Se nos sintonizarmos com Ele, descobriremos que somos Seus filhos.

Capítulo 2

Saúde Total

Ter saúde não é simplesmente existir. Ficar longe de hospitais não é ter saúde. Resistir à doença, suportar a fadiga, estimular a vitalidade do cérebro e deliciar-se com o corpo (como um pássaro voando pelos ares ou uma criança brincando): isso é saúde.

A Dieta Magnética

O que a água destilada é para a bateria de um carro, o alimento é para a bateria de um corpo humano. A Energia Vital deriva da Energia Cósmica e do alimento, e penetra no corpo pela *medulla.* A força vital tem a tarefa complexa de tirar mais força da nutrição, fragmentando alimentos e convertendo-os em energia. Portanto, nossa dieta deve se limitar a alimentos que se convertam facilmente em energia. O oxigênio e a luz solar desempenham um papel importantíssimo em nossa vida, pois são produtores diretos de energia.

Quanto mais você depender da vontade e da Energia Cósmica para se sustentar, menos precisará de alimento; quanto mais depender de alimento, mais fraca será sua vontade e menos recorrerá à Energia Cósmica.

A dieta magnética consiste em substitutos de alimentos como os raios solares e o oxigênio, que podem ser facilmente assimilados e convertidos em energia. Os alimentos magnéticos fornecem energia mais rapidamente que os sólidos e líquidos, que não se convertem com tanta facilidade em força vital.

Quando você estiver cansado ou com fome, tome um banho de sol e se sentirá revigorado, recarregado com raios ultravioleta. Inspire e expire várias vezes ao ar livre ou perto de uma janela aberta: a fadiga desaparecerá. Inspirando e expirando profundamente doze vezes, três vezes ao dia, a pessoa que estiver fazendo jejum recarregará o corpo com elétrons e energia livre absorvida do ar e do éter.

Faça o seguinte exercício três vezes ao dia: expire lentamente, contando de 1 a 6. Agora, com os pulmões vazios, conte mentalmente de 1 a 6. Inspire devagar, contando de 1 a 6. Segure a respiração, contando de 1 a 6. Repita onze vezes.

Assim como a eletricidade, passando por uma haste feita de substância condutiva, a eletrifica, assim a força vital derivada do oxigênio carrega a bateria do corpo. As pessoas que praticam exercícios respiratórios sempre têm olhos brilhantes e magnéticos.

Cada uma dos bilhões de células do corpo humano é uma boca minúscula se alimentando. A força vital identificada com o corpo gera, dentro de nós, o desejo de retirar energia da carne e de outros alimentos introduzidos no estômago. A força vital deve ser treinada para extrair energia de fontes mais sutis. As exigências energéticas do corpo podem ser supridas, em parte, pela luz do sol e o oxigênio, absorvidos pelos poros. Por esse motivo, a superfície da pele precisa ser mantida o tempo todo escrupulosamente limpa.

Devemos nos lembrar também de que os bons pensamentos são nutrição para a mente, enquanto pensamentos de outra natureza funcionam como venenos tanto para a mente quanto para o corpo.

Você já analisou sua dieta mental? Ela consiste dos pensamentos que você tem e daqueles que recebe do contato estreito com seus amigos. Pensamentos e amigos pacíficos sempre produzem mentes saudáveis e magnéticas. Inquietações e aborrecimentos, devidos ao tipo errado de amigos e a parentes que não nos valorizam, produzem mentes doentias e melancólicas.

Se você sofre de má saúde mental, adote uma dieta mental. Um jejum mental terapêutico limpará sua mente e a livrará de venenos mentais acumulados por causa de uma dieta descuidada e falha.

Em primeiro lugar, aprenda a remover as causas de suas preocupações não permitindo que elas o incomodem. Não nutra sua mente com venenos mentais ou novas preocupações criadas todos os dias.

As preocupações são, muitas vezes, fruto da tentativa de fazer várias coisas ao mesmo tempo e apressadamente. Não "engula" seus deveres mentais, mastigue-os devagar, um por um, com os dentes da atenção, saturando-os com a saliva do bom julgamento. Assim, evitará a indigestão das preocupações.

Se, diariamente, você ingerir alimentos que geram magnetismo e absorver luz solar que produz vitalidade, refletirá, em seu físico, a juventude perene de Deus. Eliminando todos os venenos mentais e partilhando o alimento divino da determinação, coragem, esforço e concentração mentais contínuos, você aprenderá a superar com facilidade os problemas mais difíceis. Eliminando a ignorância graças à meditação constante sobre Deus e seguindo os preceitos do sistema Yogoda, bem como de seu mestre espiritual, você conquistará uma perfeita saúde espiritual.

Quando aprender a ingerir os alimentos certos, a pensar os pensamentos corretos, e a encher-se de sabedoria e jovialidade, seu corpo e sua mente serão espiritualizados e sentidos como dínamos de energia magnética. Seu corpo e sua mente, purificados por essa energia, contemplarão a beleza do Espírito e se tornarão um ímã espiritual, carregado com a vida de Deus e pronto a abençoar tudo quanto tocar.

❦ ❦ ❦

Como Permanecer Jovem

O homem cuidadoso, que segue as leis da saúde, sofre pouco em comparação com o homem descuidado, que não se importa com sua dieta. Caminhe diariamente. Banhe seu corpo, todos os dias, na luz bactericida do sol. Quando o inverno e seus esportes saudáveis ao ar livre chegarem, aproveite para patinar, esquiar e caminhar. Respire o ar fresco, estimulante e revigorante da estação. Com isso, a doença será afastada.

Cuide bem da máquina de seu corpo. Não desista com o passar dos anos — como muita gente faz. Mantenha-se sempre interessado. Conserve a mente ocupada criando coisas novas. Os poderes infinitos estão à sua disposição.

O oceano pode fazer com que qualquer onda retenha sua forma pressionando-a do fundo. Do mesmo modo, o homem pode preservar a juventude pedindo ao oceano inesgotável do Poder Imortal, por trás da onda de seu corpo, que continue se manifestando sob essa forma juvenil e vigorosa.

❦ ❦ ❦

Use AUM para se Curar

Concentre a mente em qualquer parte fraca ou doentia do corpo. Direcionando mentalmente o cântico "AUM", quinze vezes, para essa parte, tente sentir a tépida força elétrica preenchendo-a com energia curativa.

❦ ❦ ❦

Banhe-se na Luz Solar de Deus

Quando o sol brilha, tudo parece sorrir com sua auréola de raios dourados. Os banhos de sol e de raios ultravioleta são necessários para dotar os tecidos e os poros de energia vital. Eles dão cor à hemoglobina, recarregam-na e a fazem mais rica, mais saudável. Tal como um banho comum elimina bactérias e impurezas do corpo humano, os raios ultravioleta, contidos na luz solar, limpam-no de micróbios. Os raios ultravioleta invadem as casas das bactérias inimigas, nas unhas e nos poros, queimando-as.

Se você não tem tempo para uma caminhada, abra as janelas da casa e deixe sua amiga revigorante, a Luz Solar, banhá-lo por inteiro. Se tiver medo de apanhar um resfriado, dê alguns pulos para se aquecer, mas não deixe, todas as manhãs, de se banhar no oceano de raios solares que Deus criou para você.

❦ ❦ ❦

Encha o Corpo de Energia

Ao caminhar, todos os dias, inspire lentamente contando de 1 a 12. Segure a respiração pelo mesmo tempo e expire contando de 1 a 12. Faça isso 24 vezes toda vez que sair para caminhar.

Tome banhos de sol sempre que puder, de dez a trinta minutos, conforme a intensidade do sol. Não ultrapasse esse prazo. Cuidado com as queimaduras, que fazem mais mal que bem. (O prazo deve ir aumentando aos poucos até trinta minutos, sempre de acordo com a tolerância de sua pele aos raios solares.)

O banho com água aquecida pelo sol ou saturada de raios ultravioleta é muito benéfico.

Muito benéfico é também esfregar o corpo inteiro, vigorosa e rapidamente, com a palma das mãos antes de tomar um banho, pois isso gera força vital.

De vez em quando, segurar os dois eletrodos de uma bateria é um bom método para suprir o corpo de energia livre. (A corrente elétrica deve ser bem fraca.)

Se um homem fraco ocupa o mesmo quarto que um forte, absorve parte de seu magnetismo vital e mental. Por esse motivo, jovens e velhos devem misturar-se e, assim, intercambiar magnetismo.

Procure descobrir novos métodos de canalizar mais energia e magnetismo para o corpo.

❦ ❦ ❦

Ingredientes da Saúde

Depois do tempo da escola, em geral terminam os dias de exercício e começam os do excesso de comida, começando também, consequentemente, as doenças. A maioria das pessoas não se dá conta de que a continuidade da saúde depende de:

- alimentação adequada
- jejum
- exercício adequado
- ar fresco e banhos de sol
- bons pensamentos e alegria
- menos comida
- conservação da energia vital pelo autocontrole
- eliminação regular
- meditação calma

❦ ❦ ❦

Como Adormecer

O sono pode ser induzido voluntariamente se você se deitar de costas, fechar os olhos, contrair e relaxar o corpo, e banir todos os pensamentos. Faça isso até aprender a dormir ou sonhar de acordo com sua vontade. Com os olhos fechados, visualize um quarto diferente daquele em que está e adormeça pensando nele. Assim, sonhos podem ser induzidos.

❦ ❦ ❦

Para Dentes Saudáveis

Por que desobedecer às leis simples de Deus que conservam a beleza do corpo? Você almoça, limpa apressadamente os lábios com um guardanapo e sai às pressas, achando que tudo está bem. Mas, e quanto a seus dentes — por que não dar um banho neles depois que trabalharam tão duro para você? Dentes ruins provocam inúmeras doenças. Os panditas hindus recomendam lavar a boca com água dez vezes depois de comer, caso não se tenha uma escova à mão.

❦ ❦ ❦

Vida Saudável

Além de exercício, ar puro, luz solar e alimentação correta, as regras para uma vida alegre e saudável incluem os hábitos mentais do sorriso franco, atividade criativa, concentração, bom caráter e boas companhias.

Mantenha-se livre de infecções mentais acreditando firmemente que nada pode feri-lo, que você está sempre protegido.

Capítulo 3

Alimentos para a Saúde do Corpo, da Mente e da Alma

Devemos estabelecer o equilíbrio entre a indiferença às coisas exteriores e a preocupação excessiva com as realidades presentes. Enquanto a pessoa estiver concentrada na consciência do corpo, será cuidadosa para com ele. Também é importante, espiritualmente, tomar certas precauções físicas. Dieta adequada, exercícios corretos, ar fresco e luz solar: essas coisas são necessárias para uma existência plena.

Sua religião deve ser Deus, não o alimento. Muitos adeptos de novidades só fazem enfraquecer seus sistemas seguindo demasiadamente à risca princípios dietéticos. "Oh!", exclamam eles, "hoje não comi meu abacate; sinto a espinha fraca!" Tamanha preocupação com ninharias apenas debilita a força de vontade. Sua própria atitude frente à vida é que fica sem espinha! Preocupar-se com essas superficialidades é como tapar rachaduras na parede quando os cupins estão roendo o alicerce!

O Valor dos Alimentos Naturais

Se a estimulação da Energia Vital é responsável pelo bem-estar do homem, por que o alimento é tão importante? Todas as células, incluindo as do alimento que ingerimos, possuem inteligência própria e podem influenciar as de nossa mente e cérebro. Alimentos naturais como frutas, nozes e legumes crus exercem um efeito harmonioso e revigorante na mente, permitindo que a Energia da Vida flua sem obstáculos pelo corpo.

A carne, que retém as vibrações da dor, do medo e da raiva do animal moribundo, bem como os alimentos artificiais, irritam e perturbam o equilíbrio da mente, que perde assim seu poder intrínseco de direcionar a Energia Vital para curar qualquer parte do corpo. Embora o alimento, em si, não possa curar, os alimentos naturais geram saúde indiretamente ao manter a mente calma, permitindo assim que a Energia da Vida flua sem obstruções.

❦ ❦ ❦

Magnetismo e Dieta Certa

Para ter magnetismo, mantenha seu corpo livre de venenos. Se ele estiver contaminado por venenos, sua energia ficará mais ou menos bloqueada. Tente eliminar essas substâncias. Se estiver limpo por dentro, toda a sua energia aparecerá nos olhos, no rosto e no corpo. Preste muita atenção à dieta. Alimentos crus geram magnetismo. O coco é riquíssimo em magnetismo. A beterraba, o espinafre e a alface são cheios de vitalidade e darão a você muito magnetismo.

Carne em excesso leva à perda de magnetismo porque o magnetismo animal adultera o magnetismo espiritual. Ela leva a pessoa a se concentrar demais no plano físico, o que atrai companheiros físicos, não espirituais. A carne também estimula exageradamente a libido. Um pouco de carne não lhe fará mal; mas, se contrair o hábito de comê-la diariamente, ela acabará com suas qualidades magnéticas. Coma substitutos, inclusive nozes e combinações de sementes.

O excesso de amido e proteína retém venenos no corpo. Ingerir frutas e legumes em abundância pode ajudar você a desenvolver magnetismo. As frutas são até mais magnetizadas que os legumes. Contêm luz solar e energia vital. Comer demais é ruim. Fazer jejum é bom, pois dá descanso ao estômago. Seus olhos e todo o seu corpo serão magnetizados pelo tipo de alimento que ingerir.

❦ ❦ ❦

Fé e Leis Dietéticas

Ter fé no poder curativo de Deus por intermédio da mente e *obedecer* às leis dietéticas é melhor do que apenas ter fé em Deus e no poder mental, mas *ignorar* as leis dietéticas.

❦ ❦ ❦

Dieta e Disposição

A dieta afeta nosso estado mental favorável ou desfavoravelmente — e tudo quanto afeta nosso estado mental afeta também nossa disposição. É necessário ingerir os alimentos certos para ter um cérebro e um corpo saudáveis. Todo alimento afeta de algum modo a mente.

A máquina humana não é muito diferente de um automóvel ou um motor. A eficiência dos motores depende largamente do combustível que usam; do mesmo modo, a condição da máquina humana depende em muito do alimento que ingere. O alimento tem tudo a ver com o desenvolvimento de aspectos como o caráter, a habilidade e os hábitos sociais.

É desejável conhecer os efeitos não apenas físicos, mas também espirituais e psicológicos do alimento. Eis as três qualidades psicológicas do alimento:

Sáttvica — desenvolve as qualidades morais e espirituais
Rajásica — desenvolve as qualidades ativas e mundanas
Tamásica — intensifica as qualidades negativas ou destrutivas

Os alimentos sáttvicos incluem frutas, verduras, cereais integrais, legumes, mel, laticínios frescos, leite de coco, creme de amendoim e amêndoa, e nozes. Esses alimentos geram serenidade e nobreza.

Os alimentos rajásicos são os responsáveis pelas qualidades ativas, mundanas, fortes e emocionais da mente. Incluem cebola, alho, ovo, rábano, abóbora, batata, picles e especiarias, bem como peixe, carne de frango e de carneiro.

Os alimentos tamásicos têm qualidades negativas, destrutivas. Alimentos com cheiro forte, estragados ou industrializados (já sem suas qualidades naturais) são tamásicos. Exemplos: queijo roquefort, comidas congeladas e bebidas alcoólicas, mas também carne de vaca e porco. Esses alimentos produzem orgulho, ciúme, inveja e espírito vingativo.

Algumas qualidades espirituais dos alimentos:

NOZES: estimulam o pensamento profundo, a capacidade cerebral e a concentração.

FRUTAS: fortalecem o coração e os dons espirituais.

LEGUMES: dão poder de controle sobre o corpo.

CEREAIS: robustecem o caráter.

LEITE E OVOS: geram entusiasmo e renovam a energia.

ALGUMAS FRUTAS: pêssego, abnegação; uva, amor espiritual; banana, humildade; morango, dignidade; abacaxi, coragem; cereja, jovialidade.

❦ ❦ ❦

Construção do Templo do Corpo

Todos os dias, os tecidos precisam ser supridos com materiais próprios para a construção do corpo. Para rebocar uma casa, se você colocar pouca cal na areia, a princípio talvez não note nada de errado — mas, em breve, a massa começará a se desprender das paredes. Da mesma maneira, nosso corpo decai quando não é "rebocado" com o tipo certo de sangue, provido da quantidade correta de elementos formadores. O corpo perde vigor, os tecidos se tornam frouxos, a pele começa a apresentar rugas e as células não mais conseguem proliferar. Assim, no café da manhã, almoço e jantar, certifique-se de que está dando ao corpo as substâncias alimentícias adequadas.

❦ ❦ ❦

As Vitaminas São o Cérebro do Alimento

Experimentos mostram que os ratos podem viver oito semanas apenas com água, mas só seis com pão branco. Sem a presença de vitaminas no alimento, sua refeição nada vale. Você não se nutre: chama a doença.

As doenças nascem de nossa ignorância das leis do corpo e da mente. Alimentação correta, moderação e exercício podem praticamente eliminar a doença da face da Terra. As vitaminas são o cérebro do alimento que você ingere. Elas controlam a digestão e a absorção do alimento, bem como a formação de diversos tecidos. Vitaminas são força vital condensada. São eletricidade sutil armazenada no alimento para recarregar a bateria do corpo com energia nova. Não cozinhe alimentos, pois isso mata as vitaminas. Na falta dessas, o alimento ingerido vai para o estômago sem nenhum controle.

Não se deve ter uma dieta de fome e sim comer os alimentos certos em quantidade menor que a necessária. Um homem de hábitos sedentários, como o escritor ou o funcionário de escritório, deve ingerir pequenas quantidades várias vezes ao dia, nunca quantidades grandes de uma só vez. Deve, de vez em quando, fazer jejum. Quem executa trabalho físico precisa comer mais, inclusive substitutos de carne como nozes e leite.

Faça da Fome o seu Guia

Comer três vezes por dia é um hábito perigoso. Muita gente vai prematuramente para o túmulo porque obedece ao som da campainha que chama para as refeições. Ignore esse som agourento caso não tenha fome. É bom comer em horários regulares por causa da expectativa criada nas células do corpo, que estimula a secreção dos sucos digestivos. As células inteligentes, como animais esfomeados no zoológico, esperam pela hora da refeição.

Mas nunca coma a menos que esteja com fome. Coma moderadamente caso esteja faminto. Coma pouco caso não esteja com muita fome. E não coma nada caso não esteja com fome nenhuma. Pule as refeições que tentaria comer com pouca fome, pois assim esta ficará aguçada para a refeição seguinte. Use sua força de vontade para resistir à tentação de comer três vezes por dia, hábito que mantém todo o sistema — inclusive células, coração, nervos e estômago — trabalhando sem parar. Dê à sua máquina inteligente um descanso ocasional eliminando o café da manhã, o almoço ou o jantar. Se trabalhar muito e ficar faminto, poderá ingerir, com segurança, três refeições leves por dia; caso contrário, apenas duas bastarão.

Coma Moderadamente

Seu corpo lhe foi dado para permitir que você execute certas tarefas no plano material; cuide dele como seu mais precioso bem. Há um provérbio sírio que diz: "O inimigo do homem é seu estômago". Sobrecarregar o estômago com alimento desnecessário é um dos abusos mais comuns que se cometem contra o corpo. Coma com moderação e logo perceberá uma grande mudança em sua saúde — para melhor.

❦ ❦ ❦

Desenvolva o Poder do "Não Quero"

Se você não tem força de vontade suficiente, procure desenvolver o poder do "não quero". Quando estiver à mesa e a sra. Voracidade tentar convencê-lo a comer mais do que deve, anestesiando seu autocontrole e atirando-o ao abismo da indigestão, contenha-se. Depois de ingerir a quantidade e a qualidade certa de alimento, diga a si mesmo: "Não quero comer mais" — e, levantando-se da mesa, saia correndo. Se alguém chamar: "João, volte e coma mais. Não perca esta deliciosa torta de maçã", responda: "Não quero".

❦ ❦ ❦

Coma Corretamente

Eis algumas importantes considerações sobre o ato de comer e digerir:

1. Escolha adequada de alimentos
2. Boa aparência e aroma
3. Ambiente agradável

Não se deve ingerir alimento sob a pressão das emoções. Na hora da refeição, devem imperar a calma e o prazer; emoções e pensamentos negativos precisam ser postos de lado. É necessário comer com coração alegre e agradecido.

❦ ❦ ❦

Carnívoros versus *Vegetarianos*

Comer carne ou ser vegetariano é um problema complicado e controverso. O que vou dizer tem em vista as necessidades atuais do mundo.* Acho que nenhuma recomendação é absolutamente boa em todas as épocas e para todas as pessoas.

A consciência e a sensibilidade humana se aguçam quando matamos animais, mas não quando picamos legumes ou descascamos frutas. Muitos comedores de carne a evitariam se tivessem de matar o animal para obtê-la; mas nenhum vegetariano se importa em decepar a ponta de uma cenoura. O sangue derramado e a dor infligida durante o sacrifício de animais mostram que estes estão bem próximos dos humanos na escala evolutiva.

---

* Escrito em 1935.

A carne, alimento concentrado, dá forças; mas é altamente indigesta, retém venenos do corpo e prenuncia doenças. Legumes e frutas, com sua ação laxante natural, geram saúde e eliminam doenças. Os legumes têm de ser comidos com mais paciência e não são tão concentrados quanto a carne; e seu consumo impróprio não produz força.

Os americanos sofrem de obesidade devido à ingestão excessiva de várias formas de proteína, como carne, leite e nozes. Eles deveriam se tornar vegetarianos.

As raças que consomem carne são em geral politicamente livres. A Índia vegetariana nunca foi forte o bastante para repelir as contínuas invasões estrangeiras. Os hindus quase não têm proteínas para ingerir e, devido ao fanatismo, preferem uma dieta à base de farinhas, motivo pelo qual são muito magros e morrem cedo. Na Índia, os animais vivem mais que os homens.

Como medida temporária, a Índia atual precisaria comer carneiro, cabrito e aves até dispor de leite e substitutos de carne suficientes. Sabe-se que a carne de carneiro combina melhor com os elementos químicos do corpo humano do que qualquer outra.

A vida do homem é mais valiosa para todas as criaturas vivas do que a dos animais. Se me perguntassem se o homem deve comer carne para viver ou se o animal deve ser poupado, mas o homem morrer por não consumir sua carne, eu diria que o homem deve viver à custa do animal.

Sabemos que tanto os vegetarianos quanto os consumidores de carne podem viver vidas longas e saudáveis. Jesus,

Buda e São Francisco comiam carne; Shankara, Chaitanya e alguns grandes santos indianos semelhantes a Cristo foram vegetarianos. São Pedro teve a visão de alguns animais e ouviu a ordem de matá-los e comê-los. "Não matarás" parece aplicar-se a homens, não a animais. Moisés e Jesus comiam carne e foi Moisés que recebeu os Dez Mandamentos.

Os peixes têm sangue e sistema nervoso, mas poucos fazem barulho ao ser mortos. A vida evoluiu para formas mais complexas nos mamíferos, que possuem tecidos diferentes dos tecidos dos peixes. O touro e o porco, que desenvolveram sistemas nervosos altamente combativos, sentem mais dor e protestam veementemente contra qualquer tentativa de matá-los. Esses animais desenvolveram consciência suficiente para compreender que se deve zelar pela autopreservação e que infligir dor é uma injustiça. Por isso, não devem ser mortos. O carneiro protesta com menos estardalhaço que o touro ou o porco.

Parece que os vegetais, peixes e animais mansos receberam intencionalmente da Natureza um sistema nervoso menos desenvolvido, que não registra muita dor nem protesta quando ela é infligida. Essa pode ser uma das razões pelas quais essas formas de vida inferiores se sacrificam pela manutenção das superiores.

❦ ❦ ❦

Viva com Alegria

Lembre-se: você é feito não apenas do que entra, mas também do que sai do seu corpo. Algumas pessoas que comem carne podem ser santas e autocontroladas, ao passo que outras, comendo apenas legumes e frutas, podem ser perversas e descomedidas. Acima de tudo, coma da maneira certa, medite e viva na Alegria Divina, dia e noite.

❦ ❦ ❦

Não Seja Fanático

Nunca se esqueça de seguir as leis materiais de Deus que governam a saúde e o corpo físico. Mas não exagere a importância do corpo nem seja exigente demais com a dieta, pois o poder da mente é o que conta. Há fanáticos cujo único interesse são calorias e vitaminas, que só falam em verduras e nozes, nozes e verduras — até você se perguntar como podem ser tão cegos para outros aspectos mais interessantes da vida.

Não me entenda mal. Não estou menosprezando o valor de uma boa dieta. Apenas digo que não convém ser fanático por ela.

❦ ❦ ❦

Reafirme a Liberdade Divina

A alma é independente do alimento. O corpo também deve expressar essa liberdade da alma. O alimento, mais que qualquer outra coisa, parece sujeitar a alma ao corpo.

Diga a si mesmo: "A boa comida, qualquer tipo de comida ou comida nenhuma são a mesma coisa para mim porque meu corpo emana de minha alma, que é incondicionada, e estou acima de alimento, fome e decadência. Sou imortal, estou contente, todas as minhas necessidades são satisfeitas. Estou acima da fome, da decadência e da morte".

Capítulo 4

A Escolha da Dieta Certa

Aos meus alunos da primeira geração, quase não falei sobre dieta vegetariana: na época, era um assunto muito novo para as pessoas deste país.* De qualquer maneira, não tinha grande importância para o ensino do yoga.

Aos alunos da geração seguinte, recomendei que comessem menos carne. E, em média, eles se tornaram mais saudáveis.

Agora, aos da terceira geração, recomendo uma dieta totalmente vegetariana e constato que, dos três grupos, este é o mais saudável.

Não ligo muito, entretanto, para a palavra "vegetariano". Há fanáticos demais nessa área. Cunhei, pois, um termo que me parece melhor: "sensatariano".**

Vida Equilibrada

Obedeça às leis materiais do corpo fazendo uma escolha sensata de alimentos. Já que precisa comer, coma o tipo certo de alimento. Escolha uma dieta balanceada, siga-a e esqueça o corpo; devote seu tempo a estudos e problemas mais importantes da vida.

---

* Yogananda se mudou para os Estados Unidos em 1920.

** Em inglês, *propereatarian.*

❦ ❦ ❦

Como Adotar uma Dieta mais Saudável

Muitas pessoas me dizem: "Oh, a asma (ou a tuberculose, ou o diabetes) arruína minha família". Não preciso de mais informações sobre sua resignação auto-hipnótica a um destino semelhante. Mas isso, caros alunos, NÃO é escolher o caminho da Verdade; é cultivar a filosofia da fraqueza. A verdade É que, se você continuar a viver como viveu seu pai, que morreu de câncer, com quase certeza o mesmo lhe acontecerá.

Não afirmo que seja fácil mudar — como qualquer outra coisa digna de se obter, você precisa se esforçar para isso! Mas há um ditado: "Peixe velho se deixa arrastar rio abaixo, peixe *novo* nada contra a corrente". É tarefa do indivíduo lançar fora as algemas das tendências hereditárias, sejam elas hábitos de pensamento ou hábitos de má saúde.

Se minhas palavras estão encontrando solo fértil em sua mente, faça um inventário de sua situação, recomponha sua vida, mude seus hábitos e acompanhe o ritmo de sua compreensão espiritual sempre mutável, seu poder mental sempre em evolução.

Você ainda usa como combustível para avivar as brasas de seu fluxo sanguíneo: bacon, ovos, café, carne em conserva, açúcar refinado, salsichas, hambúrgueres, condimentos, produtos de farinha branca, bebidas alcoólicas, fumo e outras imitações fracas, sem vida, acidulantes e de baixa vibração? Se usa, é porque continua preso aos instrumentos da ignorância do passado, com medo de trocar a carroça pelo automóvel.

Você está pronto para mudar sua dieta?

No caso de uma pessoa saudável, a dieta diária deve ser constituída por 60% de frutas e legumes, 20% de proteínas e 20% de farinhas e açúcar. Imaginemos dois pratos à nossa frente: o maior contém alimentos "bons, sólidos e nutritivos", concentrados e acidulantes; o menor, com metade do tamanho do primeiro, exibe apenas uma folha de alface e uma fatia de tomate, e responde pelo nome de "salada".

Completemos a refeição do prato grande com fontes vivas, coloridas e de alta vibração, de minerais e vitaminas como alface fresca, agrião, salsa, espinafre, pimentão verde e vermelho, aipo, tomate e abóbora. No prato pequeno, teremos qualquer destes alimentos concentrados: carne (de carneiro ou frango, mas não de porco ou vaca), peixe, laticínios, ovos, legumes (lentilhas secas, ervilhas, feijão, grão-de-bico), cogumelos ou soja. Porções (adultos): de 10 a 15 nozes; 120 gramas de carne; cerca de 150 gramas de peixe; 2 ovos.

❦ ❦ ❦

Combinação Adequada de Alimentos

Para obter os melhores resultados do alimento, calcule meticulosamente a combinação dos itens ingeridos em cada refeição, reduzindo-os ao mínimo. Quanto menor o número de alimentos diferentes numa refeição, especialmente se a pessoa tiver problemas digestivos, melhor. Mesmo em se tratando de frutas, convém usar apenas uma de cada vez. Na verdade, refeições frequentes de uma só fruta são uma ótima ideia. Tente comer, por exemplo, todas as maçãs que desejar, e nada mais, no almoço. Elas satisfazem o apetite e possuem muito valor nutritivo, além de ser uma fonte importante de sódio, que é uma substância química alcalinizante. Ou então experimente uvas, laranjas ou qualquer outra fruta que preferir.

O corpo precisa de vários tipos de alimentos para um equilíbrio harmonioso, mas é impossível fornecê-los todos numa refeição única. No começo, as células saudáveis possuem inteligência seletiva e a faculdade de escolher aquilo de que precisam, evitando o que não podem utilizar. Em muitos casos, devido a anos de ignorância de suas exigências normais, as células perdem sua capacidade de seleção, como sucede também às papilas gustativas da língua.

Você consegue ouvir música, ler, andar, escrever, falar e meditar ao mesmo tempo, prestando a devida atenção a cada uma dessas atividades? Pois bem, é justamente isso que exigimos de nossos órgãos digestivos três vezes ao dia, ano após ano, impingindo uma combinação incongruente de alimentos a essa máquina maravilhosa, que nenhuma imitação mecânica jamais igualou.

Há cinco fluidos digestivos diferentes no corpo, cuja função é tratar a variedade de alimentos de que precisamos. Na boca, ocorre a digestão das farinhas e açúcares. Por isso é importante insalivar bem os carboidratos. O estômago se encarrega das proteínas. A bile, segregada pelo fígado e a vesícula biliar, trabalha as gorduras. O suco pancreático ajuda a completar a digestão dos carbonos, proteínas e gorduras. O suco intestinal trabalha todos os alimentos, preparando-os para uma digestão e assimilação mais completas.

A confusão que se instala dentro do corpo quando muitos alimentos diferentes sobrecarregam esse atarefado "funcionário público" pode ser comparada à que ocorre quando o gerente de uma grande fábrica emite ordens conflitantes aos vários departamentos.

Quando olhos e paladar ditam a maneira de nutrir esse templo físico, ignorando as leis que *devem* governá-lo, não é de admirar que as pessoas encham cada vez mais os hospitais, sanatórios e asilos.

O QUE FAZER:

- Comer ocasionalmente um alimento só para dar o necessário descanso aos órgãos vitais.
- Combinar proteínas com frutas, legumes e gorduras.
- Combinar legumes e verduras com qualquer alimento.

O QUE NÃO FAZER:

- Usar mais de um tipo de farinha na mesma refeição.
- Usar mais de um tipo de proteína na mesma refeição. Exemplo: peixe e queijo, ovos e leite.
- Usar farinhas e frutas cítricas na mesma refeição. Exemplo: limonada e pão.
- Usar proteínas e farinhas na mesma refeição. Exemplo: peixe e pão, carne e pão.

Algumas combinações boas:

- Leite desnatado e tâmaras.
- Leite e frutas
- Legumes e pão
- Peixe e tomate (ou um legume que não contenha amido).

❦ ❦ ❦

Alcalinidade para a Saúde

O meio normal em que o corpo executa suas funções é alcalino. Quando, em consequência de dieta imprópria, excesso de trabalho, cansaço ou falta de ar puro, o corpo se torna ácido, nós ficamos doentes. Então, a alcalinidade de que o corpo precisa para neutralizar a condição ácida é suprida pelo alimento e a bebida. A alcalinidade traz saúde e imunidade às doenças.

Para manter o corpo em condição alcalina, pelo menos 8% de nossa dieta deve conter alimentos de reação alcalina, como tomate, alface, aipo, agrião, pepino, beterraba, berinjela, espinafre, aspargo, cenoura, alho-porró, acelga, abóbora, cogumelo, soja, morango, pera, figo, melão, laranja, pêssego, limão, framboesa, damasco, melancia, maçã, tâmara, suco de uva e leite desnatado.

❦ ❦ ❦

Sugestões de Dieta

As frutas devem ser comidas com pão ou algum outro alimento que contenha amido, mas sem açúcar; você poderá acrescentar um pouco de mel, se quiser. Coma apenas os doces produzidos pela natureza (figos, ameixas secas e uvas-passas, não preservados em dióxido de enxofre).

Evite ao máximo o açúcar refinado. A ingestão de grandes quantidades de doces provoca fermentação intestinal.

Lembre-se: alimentos preparados com farinha branca, como o pão comum e os molhos brancos, bem como o arroz polido e as frituras, prejudicam sua saúde. A farinha branca age como uma cola, obstruindo a eliminação dos resíduos orgânicos. Alimentos fibrosos, como o farelo de cereais, são ótimos para combater a prisão de ventre. E esta, convém não esquecer, é a mais perigosa das doenças.

Procure incluir em sua dieta o máximo de alimentos crus. Nas verduras e legumes crus há uma imensa quantidade de vitaminas geradoras de energia. Esta desaparece com o cozimento. O melhor cozinheiro é a Natureza, que prepara todas as frutas e legumes com raios ultravioleta e água destilada. Quando você ingere vegetais crus, toda a energia e todas as substâncias químicas entram diretamente em seu sangue, sem nenhuma perda.

Se você está acostumado a uma dieta de vegetais cozidos, coma-os com moderação, preferindo os que já foram cozidos pela própria Natureza visando à manutenção adequada de seu corpo. Se comer vegetais cozidos, consuma-os com a água do cozimento.

Beba ao menos um copo cheio de leite por dia. O leite é o único alimento, com exceção do ovo, que pode manter sozinho a vida humana. Os extremistas, tanto o "amante de alimentos cozidos" quanto o "fanático por comidas cruas", quase sempre eliminam de sua dieta vários elementos necessários à boa manutenção do corpo. Não importa qual seja sua postura com respeito à alimentação, estará seguro caso beba leite. Ele retarda o envelhecimento e a deterioração rápida do corpo, resultante da falta dos elementos necessários à sua manutenção saudável. Nunca beba leite durante as refeições. Tomado com muita comida, provoca indigestão. Tome-o sozinho ou com frutas.

No preparo de cereais, é preferível cozinhá-los em vapor do que em água, não só porque isso melhora seu gosto e aparência, mas também porque preserva seu valor nutricional. Use trigo integral, aveia em flocos, trigo mourisco ou cevada em grãos, arroz integral e milho seco, que se conservam por muito tempo.

Coma pouca carne — apenas frango, carneiro e peixe, mas só ocasionalmente, caso esteja acostumado a consumi-la ou ache que seu organismo precisa dela. Nozes, queijo *cottage*, ovo, leite, creme de leite, coco e banana são ótimos substitutos da carne e do peixe. Se você for comer frango, carneiro ou peixe, complete a refeição com uma salada.

Não beba água durante as refeições. Esse hábito destrói a forma do corpo. Excesso de comida e falta de exercícios fazem com que o corpo se desenvolva desproporcionalmente.

É fácil comer, induzido pelo paladar, mas difícil livrar-se da gordura acumulada pelo excesso de comida e falta de exercícios. O coração se mantém mais saudável quando o corpo é magro. Menos carne, menos pressão sobre o coração. Não beba muita água ou outros líquidos.

Coma menos e mastigue bem. Não misture alimentos que contenham amido com líquidos (por exemplo, pão com leite), pois os líquidos dissolvem a saliva, necessária para iniciar a digestão.

❦ ❦ ❦

Nozes

As nozes moídas são o melhor substituto da carne. Contêm elevada concentração de proteínas e devem ser consumidas com moderação, em termos de quantidade e combinação com outros alimentos. É melhor comê-las na parte da manhã, pois sua digestão é demorada.

As nozes devem ser consumidas com frutas, legumes e verduras ricas em sódio, especialmente as de folhas verdes. O hábito quase universal de comer depressa impede que as pessoas mastiguem as nozes completamente antes de engoli-las; portanto, convém moê-las ou ingeri-las sob a forma de creme não torrado.

As nozes não devem ser comidas como sobremesa após uma refeição pesada, porque exigem demais dos sucos digestivos. Nesse caso, prejudicam bastante o organismo. Todavia, quando em combinação com frutas e saladas, constituem por si sós uma refeição completa.

❦ ❦ ❦

Frutas e Legumes

As frutas e legumes, graças à sua ação laxativa natural, geram saúde e combatem doenças. As frutas são laxativas na seguinte ordem: ameixa, melancia, melão, maracujá, tomate, figo, uva-passa e uva.

Sabe-se que o suco de um limão ou lima diluído em água morna, sem açúcar e bebido sozinho, é muito bom para o fígado, baço, intestinos e rins. Esse suco, tomado diariamente, desinfeta os órgãos. O ácido do limão destrói qualquer germe indesejável que penetra no corpo juntamente com o alimento.

❦ ❦ ❦

A Dieta Diária

Os alimentos que você consome diariamente devem ser escolhidos da lista abaixo, que contém todos os elementos necessários para a correta manutenção do corpo:

- ½ maçã
- ¼ de toranja
- 1 limão
- 1 lima
- 1 laranja
- 1 copo de suco de laranja com uma colher de nozes bem moídas
- 1 fatia pequena de abacaxi
- 6 figos, tâmaras ou ameixas secas
- 1 punhado de uvas-passas
- 1 colher de mel
- 1 legume assado ou levemente cozido na água ou no vapor, com seu caldo
- 1 cenoura crua com parte da rama

- 6 folhas de espinafre cru
- ¼ de miolo de alface
- 1 colher de azeite de oliva
- 1 copo de leite
- ½ copo de creme de leite
- 1 colher de queijo *cottage*
- 1 colher de coalhada

Coma pelo menos alguns dos alimentos acima todos os dias, distribuindo-os pelas três refeições. Exclua os itens de que não gosta. Coma pouco quando sentir que precisa de nutrição e vá se acostumando gradualmente a uma dieta mais completa. Você pode aumentar ou diminuir as quantidades acima, de acordo com suas necessidades individuais. Quem executa trabalho muscular pesado precisa, obviamente, de mais alimento que o trabalhador sedentário.

Quando estiver com fome, beba meio copo de água ou um copo de suco de laranja com uma colher bem cheia de nozes moídas. Quando estiver com sede, beba um copo de suco de laranja ou água (de preferência destilada ou fervida). Entretanto, a água destilada natural — o suco da fruta não diluído — é melhor.

A água gelada deve ser tomada com moderação a qualquer hora, mas sobretudo durante e após as refeições, pois baixa a temperatura do estômago e, assim, retarda a digestão. Jamais beba água gelada quando estiver com o corpo quente.

Um erro comum dos vegetarianos é comer quantidades insuficientes ou pratos à base de vegetais supercozidos, "mortos", pois perderam as vitaminas. Comer carne não é pior do que comer apenas "cadáveres" de vegetais cozidos e desintegrados. Ingerindo verduras e legumes cozidos, os vegetarianos logo perdem o entusiasmo e começam a querer retomar uma dieta de carne.

Seguir esse cardápio poupa o trabalho de ler complicados livros de dieta e previne o ataque súbito de doenças, facilitado pela omissão de um ou mais dos dezesseis elementos e vitaminas que o corpo exige para se manter.

❦ ❦ ❦

Oração Antes das Refeições

Pai Celestial, recebe este alimento. Torna-o sagrado. Que a impureza da gula não o contamine. O alimento vem de Ti para edificar Teu templo. Espiritualiza-o, de Espírito para Espírito. Somos as pétalas de Tua manifestação, mas Tu és a flor, sua vida, sua beleza, sua doçura. Permeia nossa alma com a fragrância de Tua presença.

Capítulo 5

Dieta para a Cura e a Beleza

A primeira pessoa neste mundo que se sentiu doente ou com mal-estar provavelmente parou de comer, como fazem os animais. Portanto, o primeiro método de cura é o jejum ou o descanso concedido à máquina humana. Esse primeiro doente deve ter procurado instintivamente eliminar de sua dieta certos alimentos indigestos, passando a consumir raízes e ervas. Isso levou à descoberta de diferentes ervas medicinais. Os chineses e os indianos se especializaram nesse segundo método de cura. Mais tarde, por causa de migrações, mudanças de clima e dificuldades em encontrar as ervas necessárias, extratos concentrados e remédios começaram a ser feitos a partir das ervas. Assim, os remédios de ervas constituíam o terceiro método.

Cura da Autointoxicação

Uma das principais causas da artrite, reumatismo e várias outras doenças é a autointoxicação, devida a uma eliminação precária. O alimento deteriorado e preso, como uma cola, às paredes dos intestinos é absorvido e levado para o sangue. O que se segue é, naturalmente, a doença.

Médicos esclarecidos recomendam um jejum à base de sucos de frutas ou água um dia por semana. Outro bom conselho médico é desobstruir e lavar totalmente os intestinos, uma ou duas vezes por mês, bebendo apenas sucos vegetais ou quatro litros de água. Essa limpeza geral da casa ajuda muito.

❦ ❦ ❦

Não Beba Água Gelada

Os médicos dizem que a água gelada baixa a temperatura do estômago em trinta graus, obrigando-o a se reaquecer para retomar suas atividades normais. Isso abala e enfraquece a força digestiva da pessoa.

❦ ❦ ❦

Evite Resfriados

A pessoa que come sem sentir fome física verdadeira, apenas uma falsa fome produzida ao visualisar um alimento, está patinando sobre a fina camada de gelo da digestibilidade. Mal sabe o que está fazendo quando sobrecarrega sua força digestiva devorando sem mastigar alimentos pesados em grande quantidade e bebendo água ao mesmo tempo.

Falta de fome e resfriado — esses dois contratempos aparentemente inocentes comprometem em muito a felicidade do homem. A pessoa atacada pelo sr. Resfriado começa a espirrar e a espalhar germes por todos os lados. O espirro bombardeia as delicadas células das mucosas, perturbando a família inteira das células cerebrais. Devido à proximidade do cérebro e dos processos mentais, o homem com resfriado se sente mal mentalmente.

Negligenciar um resfriado no início é permitir que ele amplie seu território garganta abaixo. Se a pessoa se descuidar, o insidioso intruso, sr. Resfriado, penetra nas câmaras interiores dos tubos bronquiais e tenta fixar residência permanente nos pulmões.

O sr. Resfriado é conhecido também como "Inimigo da Felicidade". Pode não parecer muito perigoso durante a primeira visita, mas, quando começa a aparecer com frequência, pode acabar com a felicidade da pessoa.

❦ ❦ ❦

Como Curar Resfriados

Se você apanhar um resfriado, jejue por dois dias. Assim, os outros venenos de seu corpo começarão a ser eliminados. Se você comer, obstruirá o sistema de eliminação da Natureza com as novas substâncias químicas do alimento.

Caso não consiga manter um jejum total, coma maçãs, peras ou uvas, mas evite frutas ácidas. Não coma nada à noite. Não beba água quente ou gelada. Beba apenas dois copos de água morna por dia. Acredito que beber muita água durante um resfriado não é bom porque o líquido extra atravessa continuamente as mucosas, fazendo o nariz escorrer e provocando nele irritação ou acúmulo de secreção. Jejuar durante um resfriado é bom porque ajuda a Natureza a promover sua própria cura, sem obstáculos. No começo do problema, convém igualmente ingerir um laxante adequado ao sistema da pessoa.

Um banho de sol, com os raios incidindo diretamente sobre a epiderme, pode curar um resfriado em um dia. Proteja a pele, que é muito sensível, com azeite de oliva ou algo similar, antes de se expor ao sol. Um aumento diário de cinco a dez minutos na duração do banho prepara a pele para exposições mais demoradas. O melhor horário é entre as 11 horas da manhã e as 3 da tarde.

❦ ❦ ❦

Elimine a Secreção

A secreção (catarro) é provocada principalmente pelo excesso de comida à noite e pelo descuido com os resfriados. Se você seguir ao pé da letra as regras aqui apresentadas, começará a destruir as raízes dessa doença. Se estiver sendo incomodado pelo catarro, faça um café da manhã bem leve: fruta com nozes moídas ou algum vegetal cozido, talvez ervilhas ou espinafre, apenas para satisfazer às exigências do hábito. Evite a carne ao máximo. Jamais coma carne, peixe ou ovos à noite. Beba leite à tarde. Sua refeição mais pesada deve ser o almoço. Coma pouco pão, de preferência uma pequena torrada de pão integral ao meio-dia.

Não coma nem beba água antes de ir para a cama. Durma bem agasalhado, com as janelas abertas tanto no verão quanto no inverno. Faça longas caminhadas pela manhã e sobretudo à noite, antes de se deitar. Enquanto caminha, inspire e expire profundamente.

❦ ❦ ❦

Exercite-se até Começar a Transpirar

Não se queixe de problemas do estômago, resfriados ou dores de cabeça. Eles são sempre a consequência de uma dieta inadequada ou da falta de exercícios. Faça algum tipo de exercício todos os dias até sentir o suor banhar todo o seu corpo. Resfriados e doenças similares logo desaparecerão.

❦ ❦ ❦

Banho Matinal

Eis um bom banho matinal interno: adicione suco de lima fresca a um copo de água destilada. Tome-o logo depois de se levantar e ofereça ao estômago uma espécie de exercício de limpeza, visualizando um processo de lavagem na área do umbigo.

❦ ❦ ❦

O Álcool Inibe a Percepção da Alma

O álcool entorpece os sentidos, transtorna a razão, inflama as piores paixões e instintos animais. É o grande inimigo do raciocínio, o grande perturbador do juízo e o grande destruidor da humanidade.

As bebidas alcoólicas corroem o estômago e anulam a intuição. Anestesiam as células espirituais do cérebro e acabam por destruir permanentemente sua capacidade de sintonizar-se com a consciência divina. Além das células espirituais do cérebro, não existe nenhum instrumento suficientemente aguçado para perceber Deus. Você deve considerar de seu máximo interesse evitar o álcool. Faça apenas aquilo que lhe traz felicidade duradoura.

❦ ❦ ❦

Jejum e Dietas Especiais

A maioria das doenças pode ser combatida com um jejum adequado — parcial ou completo — sob a orientação de um especialista.

O JEJUM PARCIAL PODE INCLUIR:

1. Limitação da dieta a certos alimentos
2. Abstenção de certos alimentos
3. Limitação da quantidade de alimento ingerida
4. Redução do número de refeições a uma ou duas por dia

Algumas dessas formas de jejum podem ser combinadas. Por exemplo, para curar uma doença ou reduzir o peso, a pessoa pode se abster totalmente de certos alimentos e limitar a ingestão de outros.

ALGUNS TIPOS MAIS ESPECÍFICOS DE JEJUM INCLUEM:

Dieta Líquida: um ou dois dias por semana, ou sempre que você não sentir muita fome, limite o consumo de alimento a leite e suco de laranja ou de qualquer outra fruta. Jejuar durante um dia por semana, ingerindo apenas suco de laranja e tomando um laxante apropriado, ajudará a manter as células do corpo resistentes e livres de doença. Um jejum de três dias por mês, também à base de suco de laranja e laxante à noite, eliminará venenos e fará muito para tornar o corpo forte, saudável e jovem por toda a vida. O suco de laranja é muito bom porque contrabalança os ácidos do corpo produzidos pelo consumo de carne e alimentos pesados.

Dieta Sólida: essa dieta se limita a frutas e vegetais crus, ou vegetais semicozidos, incluindo o líquido do cozimento. Nada de açúcar, pão ou outros alimentos à base de farinha; nada de carne, ovos ou peixe: apenas as frutas e vegetais crus ou levemente cozidos, e apenas uma refeição por dia — o almoço. Tome bastante água durante essa dieta.

*A Dieta de Nove Dias**

A Dieta Fortificante e Purificadora de Nove Dias revelou-se o método mais eficaz para livrar o sistema de venenos. Consiste no consumo dos seguintes alimentos diariamente:

---

* Consulte um médico antes de adotar essa dieta. Ela não é apropriada para pessoas com taxa elevada de gorduras no sangue, mulheres grávidas e diabéticos.

- 1 ½ toranja
- 5 laranjas
- 1 ½ limão
- 1 salada de verduras cruas
- 1 legume cozido com o líquido do cozimento (quantidade opcional)
- 3 copos de Bebida da Vitalidade (um a cada refeição)

Um copo de suco de laranja com uma colher de folhas de sene (a ser tomado todas as noites durante a dieta purificadora, antes de ir para a cama. Para melhores resultados, tome ½ colher a princípio; depois, aumente para 1 colher).

INGREDIENTES DA BEBIDA DA VITALIDADE

- 2 talos de aipo picados
- 2 xícaras de espinafre, dente-de-leão ou folhas de nabo picadas
- 5 cenouras (picadas) com parte da rama
- 1 maço de salsa picada
- 1 litro de água
- Nada de sal ou temperos

A bebida pode ser preparada de duas maneiras, sendo preferível a primeira:

1. Depois de picados o aipo e as cenouras, cozinhe-os ligeiramente em água por dez minutos. Adicione as folhas e a salsa, cozinhando por mais dez minutos. Escorra em peneira.

2. Use os mesmos ingredientes, mas não os cozinhe. Bata-os no liquidificador.

Tome um copo da bebida a cada uma das três refeições. Essa bebida da vitalidade é um tônico do sangue e uma ajuda muito eficaz contra o reumatismo, vários distúrbios estomacais (inclusive indigestão aguda), catarro crônico, bronquite e esgotamento nervoso.

Durante a dieta purificadora, não use de modo algum temperos, doces, massas, carne, ovos, peixe, queijo, leite, manteiga, pão, frituras, óleo, feijão — na verdade, todos os alimentos não mencionados acima.

Se a pessoa sentir necessidade de mais nutrição, deve ingerir uma colher de nozes bem trituradas em meio copo de água ou um copo de suco de laranja.

Após a dieta de nove dias, você deve ser bastante cuidadoso na escolha e dosagem de sua comida por pelo menos quatro dias, voltando aos poucos à dieta habitual. Comece acrescentando à refeição uma porção de queijo *cottage.* Amêndoas, gema de ovo e batata assada são os itens de primeira escolha. Não coma demais. Gradualmente, vá aumentando a quantidade e a variedade até voltar à dieta habitual.

Se não conseguir livrar o corpo de todos os venenos na primeira tentativa, repita a dieta purificadora após duas ou três semanas.

Antes de ir para a cama todas as noites, no período de dieta, convém tomar um banho de imersão com 1 kg de sal amargo diluído em cada quarta parte do volume de água morna da banheira. Também é benéfico tomar um banho de sais de vez em quando por várias semanas após o término da dieta purificadora.

❦ ❦ ❦

Para uma Pele Saudável

Uma pele verdadeiramente bonita é sinal de limpeza interna. A pele divide tarefas com o sistema excretor interno conhecido como trato urinário. Quando, por ignorância ou negligência, infringimos as leis do equilíbrio físico e acumulamos excesso de toxinas, a pele precisa ajudar a eliminá-las.

Cerca de um quarto da água que entra no corpo é eliminada, juntamente com grande quantidade de resíduos, pelos poros da pele. A fim de manter a pele funcionando adequadamente, use roupas leves e folgadas. Tome um banho morno à noite para eliminar os resíduos acumulados durante o dia e permitir que a pele respire enquanto você dorme. De manhã, tome um banho frio para mantê-la tonificada e ajudá-la a funcionar como um regulador de temperatura.

Adicione um litro de água destilada a um maço de salsa bem lavada. Cozinhe lentamente até que as folhas e os talos amoleçam. Deixe descansar num recipiente coberto até esfriar. Escorra. Tome vários copos americanos por dia, durante vários dias seguidos. A salsa vibra em sintonia com os rins e estimula os órgãos excretores.

❦ ❦ ❦

Para uma Bela Aparência

Uma pele bonita depende primariamente da boa saúde, devendo ser cultivada e mantida pela purificação a partir de dentro. Espinhas são poros obstruídos; abscessos de aparência desagradável indicam excesso de carboidratos na dieta (farinhas e doces); rugas são o grito de fome da Natureza por alimentos revitalizantes, iodo e óleo.

A pele seca começa a apresentar rugas mais cedo que a bem lubrificada, portanto uma ajuda externa também é necessária. O óleo, sobretudo o de oliva, tem sido usado ao longo dos séculos para promover a beleza da pele. O maior segredo de beleza e juventude de Cleópatra, segundo a história, era o uso generoso de óleo de oliva. Escolha uma boa marca de óleo de oliva amarelo. Use-o com o suco de meio limão. O limão evita o crescimento desordenado dos pelos e ajuda o óleo a penetrar. O óleo de amêndoa é outro excelente auxiliar da pele do rosto e uma ótima base para maquilagem.

Sempre digo a vocês que nunca é tarde para iniciar a evolução espiritual. Pois digo também que nunca é tarde para iniciar um regime de rejuvenescimento da pele. Lembrem-se de que as incontáveis células da pele, bem como as do próprio corpo, passam por um processo constante de nascimento, maturidade e decadência. Como a serpente, podemos descartar por completo a pele antiga, embora, é claro, de modo mais gradual, e reconstituir novos tecidos dérmicos dentro de um ano.

Os seguintes alimentos podem ser classificados como específicos para a pele. Use-os em abundância nas saladas e como coquetéis vegetais: cenoura, agrião, salsa, aipo, pepino e espinafre.

❦ ❦ ❦

Para a Beleza da Pele

O QUE FAZER:

- Dar à sua pele um banho de ar e um banho de sol diários.
- Aplicar suco fresco de limão ou de pepino como clareador de manchas e, depois, uma ou duas gotas de azeite de oliva.
- Friccionar diariamente o corpo com uma toalha áspera.
- Provocar transpiração intensa graças a algum tipo de exercício.
- Suavizar, curar e nutrir a pele com uma máscara de farinha de aveia. Isso dá à pele um brilho e um frescor notáveis. Use aveia em flocos misturada com água ou sobras de cereal cozido.

O QUE NÃO FAZER:

- Caso a pele seja muito oleosa, muitas vezes é útil, pelo menos por algum tempo, não ingerir laticínios diariamente.
- Não tome banhos de imersão muito longos ou frequentes, exceto para fins terapêuticos. Embora os banhos relaxem, podem também ressecar a pele e desmagnetizar o corpo. O melhor período para banhos quentes é à noite, exceto em caso de emergência.

- Não use elásticos apertados nas roupas, pois eles impedem a circulação.
- Não use os cremes à base de gordura animal vendidos no mercado. Muitos à base de vegetais estão agora disponíveis. Ou então prepare você mesmo o seu creme, usando como base óleo de amêndoa, óleo de oliva e limão (ou quaisquer outros óleos vegetais).

❦ ❦ ❦

Sorrir para Ter Saúde

Não existe tônico melhor que o sorriso genuíno. Nem enfeite mais bonito. Um sorriso de paz e sabedoria, brilhando no rosto, é de uma beleza inigualável.

❦ ❦ ❦

Capítulo 6

A Arte do Super-Relaxamento

As pessoas vivem falando em relaxamento, mas poucas sabem de fato como obtê-lo. Algumas sabem como relaxar fisicamente, mas não mentalmente. O super-relaxamento consiste em retirar, completa e voluntariamente, a consciência e a energia do corpo inteiro.

O completo relaxamento mental ocorre quando livramos a consciência da ilusão da dualidade e aquietamos a mente, identificando-nos com nossa verdadeira natureza, que é a unidade em Espírito. Nós nos hipnotizamos ao pensar que somos seres humanos quando, na realidade, somos deuses.

❦ ❦ ❦

Rejuvenescimento por meio do Relaxamento

A mente precisa manifestar serenidade. Relativamente às preocupações e aos desafios do cotidiano, ela tem de ser como a água, que não conserva nenhuma impressão das ondas que se agitam à superfície. Aquilo que pode ser alcançado inconscientemente, pode também ser alcançado de maneira consciente. Graças às instruções sobre meditação (*abaixo*), podemos obter serenidade perfeita no coração, pulmões e outros órgãos internos. Quando os músculos dos órgãos internos se imobilizam pelo relaxamento, o desgaste e o envelhecimento dos tecidos são inibidos temporariamente. Isso ajuda a manter a corrente sanguínea pura, pois, havendo desgaste no corpo, os resíduos são lançados no sangue venoso e envenenam-no.

Quando não há desgaste de tecidos, o sangue venoso deixa de se acumular no corpo. Isso dá ao coração um repouso bem-vindo; ele não precisa mais bombear grandes quantidades de sangue venoso para os pulmões, onde é purificado, pois os tecidos neutralizados e eletrificados já não exigem sangue nem oxigênio. Assim, o trabalho do coração e a respiração tornam-se desnecessários. Isso provoca a liberação de enormes quantidades de corrente vital, que de outro modo iriam para o coração a fim de executar a tarefa diária de bombear toneladas de sangue pelo sistema. Assim, bilhões e bilhões de células descansam, dependendo apenas da corrente sustentadora da vida para subsistir conscientemente e sem desgaste.

Quando as células do corpo aprendem a arte de viver sem sangue e oxigênio, pode-se dizer que, verdadeiramente, sabem viver da força vital que entra pela *medulla*.

Quando a energia é retirada dos nervos sensoriais, os "telefones" dos cinco sentidos são desconectados. Nenhuma sensação consegue chegar ao cérebro e aos responsáveis pela inteligência. A mente fica então livre dos pensamentos, que começam nas sensações, bem como das ideias associadas da memória subconsciente. Isso faz com que a mente cientificamente livre possa marchar sem obstáculos em direção a Deus.

Mergulhe no silêncio absoluto todas as manhãs e elimine os pensamentos por vários minutos de cada vez. Sente-se tranquilamente e medite sobre a alegria do Silêncio. Identifique essa alegria com a comunhão com Deus. Quanto mais meditar, mais perceberá que nada, exceto o júbilo crescente do Silêncio, pode lhe dar essa refinada alegria. O contato com a alegria, na meditação, é o contato com Deus. Ore profundamente, com devoção, primeiro pelo amor de Deus, depois pela sabedoria, felicidade, saúde, prosperidade e, finalmente, pela realização de algum desejo legítimo.

Relaxamento Físico

Para um relaxamento completo, comece contraindo o corpo todo. Em seguida, relaxe e retire toda a energia do corpo; permaneça relaxado, sem fazer o mínimo movimento físico. A ausência completa de movimento e tensão dos músculos e membros chama-se "relaxamento". Imagine que seu corpo é como uma geleia, sem ossos nem músculos. Quando chegar a esse ponto, terá conseguido obter um perfeito relaxamento muscular.

Relaxamento Mental

Relaxamento mental significa completo descanso da mente. Você conseguirá isso praticando o adormecimento voluntário. Relaxe o corpo e pense na sonolência que o acomete pouco antes de dormir. Tente então reproduzir esse estado (recorrendo à imaginação, não à vontade). Muitas pessoas não conseguem relaxar sequer quando estão dormindo. A mente dessas pessoas é irrequieta; por isso, elas sonham. Portanto, o relaxamento mental consciente é melhor que o relaxamento que não passa de subproduto do relaxamento físico passivo, ou sono. Dessa maneira, você pode escolher entre sonhar ou manter os sonhos longe de sua tela de cinema mental.

Não importa quão ocupado você esteja, procure, de vez em quando, esvaziar completamente sua mente de preocupações e deveres. Apenas expulse-os da mente. Lembre-se: você não foi feito para eles; eles foram feitos *por* você. Não permita que o torturem.

Quando sentir sua mente pressionada por desafios ou preocupações esmagadoras, tente adormecer. Se conseguir fazer isso, ao despertar verá que a tensão mental foi aliviada e que as preocupações já não o atormentam mais. Diga a si mesmo que, ainda que você morra, a Terra continuará girando em sua órbita e os negócios continuarão sendo feitos como sempre; então, para que se preocupar? Quando nos levamos demasiadamente a sério, a morte surge para zombar de nós e lembrar-nos da brevidade da vida material com todos os seus deveres.

O relaxamento mental consiste na capacidade de desviar, à vontade, a atenção das incômodas preocupações com dificuldades passadas e presentes; da consciência de deveres imperiosos; do medo de acidentes e outros acontecimentos igualmente assustadores; da paixão; e de pensamentos perturbadores e apegos. O domínio do relaxamento mental vem com a prática constante. Pode ser alcançado quando, por vontade própria, esvaziamos a mente de todos os pensamentos, concentrando a atenção na paz e no contentamento interiores.

Por esse motivo, o devoto que aspira a evoluir segura e firmemente no caminho da espiritualidade deve manter sempre o corpo em repouso, sem ceder à inquietação e ao desassossego, regular a respiração com exercícios respiratórios adequados, preservar a essência vital pelo autocontrole e as boas companhias, e acalmar a mente graças à prática da concentração e da meditação.

Você pode aprender a desviar o fluxo vital do corpo inteiro, por meio da vontade consciente, praticando com atenção e perseverança a técnica de concentração Hong-Sau.

❦ ❦ ❦

A Técnica de Concentração Hong-Sau

Respiração é vida. Se você conseguir viver sem respirar, prolongará sua existência e se erguerá acima da consciência corporal até a consciência da alma, permanecendo ainda em seu corpo físico. Eliminar verdadeiramente a respiração não significa suprimi-la ou contê-la à força nos pulmões. Ao contrário, sua ausência eleva a pessoa a um estado de calma e relaxamento interiores, tornando pura e simplesmente desnecessário, por algum tempo, o ato de respirar.

Você poderá praticar essa técnica a qualquer hora. Onde quer que esteja, sente-se ereto, com a coluna reta, e relaxe completamente. Feche os olhos (ou fixe-os, semiabertos, no ponto entre as sobrancelhas). Agora, com a máxima serenidade, observe mentalmente sua respiração sem controlá-la, à medida que entra e sai de seu corpo. Ao inspirar, mova o dedo indicador da mão direita para dentro, na direção do polegar e, mentalmente (sem mexer a língua ou os lábios), cante "Hong". Ao expirar, estique o indicador e cante mentalmente "Sau". (Você moverá o indicador para se tornar mais positivo na concentração e diferenciar a inspiração da expiração.)

Não tente, de maneira nenhuma, controlar mentalmente a respiração. Assuma, em vez disso, a atitude calma de um observador silencioso a contemplar o fluxo natural do ar que entra e sai do corpo — fluxo ao qual você quase sempre não presta atenção.

Pratique essa técnica com muita reverência e dedicação por pelo menos dez minutos (para começar). Quanto mais tempo, melhor. Você poderá praticar a qualquer momento, de dia ou de noite, durante a meditação formal ou nas horas de lazer — por exemplo, ao viajar de carro (desde que não esteja dirigindo!) ou mesmo deitado de costas na cama. Adquirirá um senso profundo de serenidade e chegará à compreensão de que você não é seu corpo material, mas sua alma — superior a ele e independente dele.

Para a meditação formal, sente-se numa cadeira de espaldar reto, sem braços. Coloque uma manta de lã na cadeira, cobrindo o espaldar e o chão a seus pés. Olhe para leste. Permaneça ereto, sem se encostar no espaldar.

A técnica Hong-Sau pode também ser praticada, como eu disse, nos momentos de lazer — e até na sala de espera de um médico. Apenas observe sua respiração e, enquanto isso, entoe mentalmente "Hong" e "Sau" sem mover o dedo, feche os olhos, fixando o ponto entre as sobrancelhas, e não faça nada que atraia a atenção de quem esteja por perto. Se quiser, permaneça de olhos abertos, mas sem piscar, olhando diretamente para a frente ou para um ponto qualquer. Continue com a coluna reta, se possível ou se conseguir fazer isso comodamente.

A finalidade da técnica Hong-Sau é ajudá-lo a desviar a atenção do mundo exterior e dos sentidos, pois a respiração é o vínculo que mantém a alma ligada ao corpo. O homem vive rodeado pelo ar, de que precisa como o peixe precisa da água. Indo além da respiração graças à contenção da respiração, ele pode penetrar nas esferas celestes de luz, onde moram os anjos. Pela observação serena da entrada e saída do ar, a respiração se torna naturalmente mais lenta, reduzindo por fim a atividade perturbadora do coração, pulmões e diafragma.

Pense por um instante neste fato extraordinário: o coração bombeia normalmente cerca de doze toneladas de sangue por dia! Não descansa nem mesmo à noite, quando a maioria dos outros órgãos tem a oportunidade de suspender suas funções ao menos parcialmente. O órgão mais exigido (e sobrecarregado) do corpo é o coração. A técnica Hong-Sau é um método científico que lhe dá repouso, aumentando com isso a longevidade e liberando uma enorme quantidade de Corrente Vital, ou energia, a ser distribuída pelo resto do corpo. Desse modo, renova as células do corpo e retarda o envelhecimento.

Essa técnica maravilhosa, embora simples, constitui uma das maiores contribuições da Índia ao mundo. Amplia o período de vida do homem, o qual, graças a esse método prático, consegue ir além da consciência do corpo e perceber-se como Espírito Imortal. As palavras "Hong" e "Sau" são de origem sânscrita e têm a força de um mantra. A expressão original *Aham saha* significa "Eu... sou Ele".

A Importância do Relaxamento

No sono, experimentamos relaxamento sensorial. A morte é o relaxamento completo, posto que involuntário, entre o espírito e o corpo. Sobrevém depois que o coração deixa de funcionar. Com a técnica Hong-Sau, podemos até mesmo relaxar o coração e, assim, deter sua compulsão para o mundo exterior, experimentar a morte conscientemente, desvendar seu mistério e perder o medo de morrer. Podemos, com efeito, aprender a deixar este corpo voluntária e agradavelmente, em vez de ser arrancados dele à força, às vezes como surpresa total, por ocasião da morte.

A desatenção durante a prática dessa técnica pode ser soporífera e produzir sono. Por outro lado, a atenção concentrada desperta em cada célula do corpo uma sensação vibrante de vida divina.

Se você puder, pratique a técnica por mais tempo — na verdade, pelo tempo que desejar. Eu mesmo, quando criança, praticava-a por sete horas de cada vez, entrando assim num estado de transe sem respirar. Usufrua da grande calma que sente durante e após a prática, pelo maior tempo possível. Aplique-a em situações práticas da vida, ao lidar com pessoas, estudar, trabalhar, pensar. E use-a para aprimorar o autocontrole quando quiser se livrar de algum hábito arraigado, nocivo mental ou emocionalmente. Sempre que a situação o exigir, rememore a tranquilidade que sentiu durante e após a prática, e, revivendo esse estado, enfrente a situação a partir da calma do centro interior, onde a intuição anímica natural garantirá as melhores soluções.

Lembre-se sempre: a concentração profunda e intensa é necessária para a correta prática dessa técnica. Isso não quer dizer, porém, que deva haver esforço. Pratique a técnica calmamente, descontraidamente — mesmo com reverência — e sinta nessa calma que está se preparando para ouvir, absorvendo-se nela, a Vibração Cósmica, AUM. A técnica Hong-Sau o porá em contato com o Grande Espírito, já presente em você sob a forma de sua alma e que se expressa por vibrações, causa do som interior. Os resultados não tardarão e você conquistará a serenidade profunda. Depois de uma prática prolongada, terá intuições superiores e se sentirá em contato com o reservatório inexplorado do poder divino.

Não seja impaciente. Persista. Incorpore essa prática à sua rotina normal, tornando-a parte de seu dia como comer, escovar os dentes, tomar banho ou dormir. Efeitos grandemente benéficos permearão toda a sua estrutura mental e física.

Como em tudo o mais, os melhores resultados não podem ser atingidos em um dia ou dois. Pratique! Pratique e enfrente suas necessidades diárias com a calma que ela produz. Não se esqueça também de que falo por experiência — não só a minha, mas também a de grandes yogues de meu país, ao longo de séculos. Você também pode ter a mesma experiência suprema que eles, se praticar com perseverança.

Ponto Final Importante: Concentrar-se em Quê?

Ao praticar essa técnica, em quê você deve concentrar sua atenção? Na respiração, sem dúvida; mas em qual parte do corpo?

Sua atenção, a princípio, pode se voltar para o trabalho dos pulmões e do diafragma. Então, concentre-se primeiro nesse movimento físico. Aos poucos, à medida que a mente se acalma, desvie a atenção do corpo para a respiração em si. Procure sentir o ar que entra no corpo pelas narinas. Quando ficar ainda mais calmo, tente sentir, nas narinas, onde o fluxo de ar é mais forte. A princípio será na entrada, mas, à medida que sua concentração se aprofundar, tente senti-lo mais para dentro do nariz. Sente-o mais forte na parte superior do nariz? Dos lados? Na parte mais baixa? Isso o ajudará a perceber mais claramente seu próprio estado mental. Na parte superior, o fluxo pode indicar uma percepção mais aguçada. Na parte mais baixa, uma certa tendência do fluxo de energia a descer pela coluna. Na entrada das narinas, o fluxo costuma refletir alguma propensão a reagir emocionalmente. Mais no centro, denuncia uma tendência ao retraimento. Quando ficar mais calmo ainda, procure sentir o ar penetrando na cabeça pelo ponto entre as sobrancelhas — a verdadeira sede da concentração no corpo.

A origem da respiração se localiza no corpo astral. A inspiração astral corresponde a um movimento ascendente ao longo do que, nas técnicas do yoga, conhecemos como *ida*. A expiração astral corresponde a um movimento descendente ao longo de um canal nervoso chamado *pingala*. Quem come peixe conhece esses canais: são os dois pequenos filamentos que ladeiam a espinha do animal.

Um fluxo ascendente de energia pelo *ida* acompanha a inspiração física. E um fluxo descendente pelo *pingala* acompanha a expiração física. A respiração astral é seguida por esse movimento de energia para cima e para baixo. Pertence ao processo reativo. Quando o fluxo de energia ascendente é mais forte, ocorre uma reação positiva, o que também se aplica à inspiração física voluntária. Quando o movimento descendente é mais forte (ou quando a expiração física é mais forte que a inspiração), manifesta-se como suspiro e indica um sentimento de rejeição. Quando a inspiração é mais longa que a expiração, temos uma reação positiva — e mesmo de excitação. Quando a expiração é mais longa, ocorre uma interiorização correspondente. Durante o sono, a expiração é duas vezes mais longa que a inspiração. Quando inspiração e expiração duram o mesmo tempo, sobrevém a calma interior.

Outra Técnica de Relaxamento

Primeiro, feche os olhos e expire; desvie a atenção e a energia dos sentidos. Observe e sinta mentalmente os movimentos do coração e a circulação. Acalme o coração pela força da vontade, tal como faz um relógio parar tocando de leve sua corda. Com calma, você consegue interromper a atividade de toda a máquina física. Em seguida, interrompa a Corrente Vital na espinha e no cérebro, desconectando-a dos "telefones" dos cinco sentidos. Transforme seu cérebro num rádio divino para captar o Som Cósmico de AUM.

Super-relaxamento com AUM

Sente-se numa cadeira de espaldar reto, sem curvar a coluna. Expire rapidamente e segure a respiração, contando mentalmente de 1 a 10. Inspire devagar, segure a respiração e conte de 1 a 10. Repita dez vezes. Em seguida, expire e não preste mais atenção à respiração.

Concentre-se nos dedos do pé esquerdo e diga "AUM" mentalmente para cada dedo. Faça o mesmo com os dedos do pé direito. A seguir, concentre-se na sola do pé esquerdo, depois na do direito, dizendo "AUM" para cada uma delas. Concentre-se nas panturrilhas esquerda e direita, dizendo mentalmente "AUM". Repita com as coxas esquerda e direita, os quadris esquerdo e direito, o umbigo, o abdome, o fígado, o baço, o estômago, o pâncreas, o coração, os pulmões esquerdo e direito, as mãos esquerda e direita, os braços esquerdo e direito, os lados esquerdo e direito do pescoço, a testa e a nuca.

Diga "AUM" mentalmente concentrando-se na glândula pituitária, na glândula pineal, na *medulla oblongata*, no ponto entre as sobrancelhas, na boca, na língua e na úvula, nas narinas esquerda e direita, nos olhos esquerdo e direito, nos ouvidos esquerdo e direito, no cerebelo e no cérebro. Em seguida, suba e desça pelos chakras: coccígeo, sacral, lombar, dorsal, cervical, *medulla* e Centro Crístico no ponto entre as sobrancelhas, entoando mentalmente "AUM". Procure sentir que todo o seu corpo está cercado, por dentro e por fora, pela vibração sagrada de "AUM".

❦ ❦ ❦

Onipresença

Ó Espírito, liberta minha vida e minha consciência das posses, dos apegos. Liberta minha vida e minha mente deste corpo dominado pela tensão. Liberta minha consciência dos sentidos e, depois, da respiração. Deixa que a energia flua de meu coração.

Em seguida, ó Espírito, aloja a vida e a consciência na coluna. Depois, dirige-as para o Espírito e os Espaços Infinitos. Que eu contemple a Galáxia Espiral da Via Láctea flutuando e refulgindo em mim.

Que o brilhante Pássaro da Onipresença escape de sua gaiola na *medulla* para a coluna e voe para o coração, ali entoando o hino da vitalidade. Que bata suas asas, levando ar para os dois pulmões. Então, ó Espírito, permite que ele finalmente paire acima das paredes da carne.

AUM... vibra nas mãos, nos pés, no corpo, nos músculos! AUM... vibra no Espírito! AUM... volta para a coluna, para o coração, para os músculos!

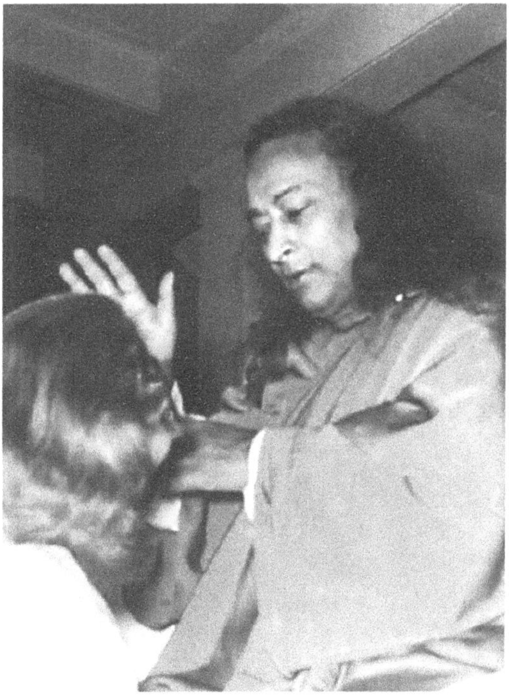

CAPÍTULO 7

O PODER DE CURA DE DEUS

Ressuscite sua alma dos sonhos de fraqueza. Ressuscite sua alma para a sabedoria eterna. Qual é o método? Relaxamento. Autocontrole. Dieta certa. Firmeza de ânimo. Coragem mental. Querer vencer. Não aceitar ser derrotado (pois essa é a pior das derrotas). Você possui um poder ilimitado — cultive-o, isso é tudo.

A meditação é a melhor maneira de resgatar a alma da servidão do corpo e das tribulações. Meditação! Medite aos pés do Infinito. Aprenda a saturar-se Dele. Suas tribulações podem ser grandes, mas seu maior inimigo é você mesmo! Você é imortal; suas tribulações passam. Elas são mutáveis; você não muda nunca. Pode muito bem recorrer aos poderes eternos para esmagá-las.

❦ ❦ ❦

O Poder de Cura da Fé

Nenhuma doença é incurável. Algumas estão além do alcance dos remédios, os quais, por sua própria natureza, são limitados. Quando uma doença é persistente e duradoura, resistindo ao auxílio médico e a outros métodos comuns, recebe o nome de crônica ou incurável.

A deficiência do remédio e sua incapacidade de curar são transferidas ilogicamente para a doença. O remédio não cura? Os médicos então classificam a doença de incurável! O poder do Infinito, no entanto, é ilimitado e pode curar qualquer moléstia.

A medicina é útil — quem poderia negá-lo? —, mas tem seus limites. Se a doença resiste ao auxílio médico, nem por isso devemos nos desesperar, mas pôr toda a nossa fé no Poder Infinito, que é onipotente.

A medicina não pode ajudá-lo se você apenas fala sobre ela, mas não a usa; da mesma forma, a fé só pode curar quando é posta em prática, não ficando apenas na teoria.

Na cura mental ou espiritual, é preciso ter fé para "queimar o barco e andar sobre a água". Não é melhor duvidar da ajuda de forças materiais limitadas do que do poder do Espírito Infinito?

❦ ❦ ❦

Cura por Meio de Vibrações

Deus quer que Seus filhos gozem de boa saúde e felicidade, mas eles criam a doença e o sofrimento desobedecendo às Suas leis. Deus é harmonia e, quando o homem (feito à Sua imagem e semelhança) tenta levar uma vida desordenada, machuca a si mesmo. Deus nunca pune o homem; o homem pune a si mesmo colhendo os frutos das más ações que praticou.

Certas doenças aparecem devido ao não cumprimento das leis da higiene e à invasão bacteriana daí resultante. Há doenças originárias da infração às leis mentais do Ser, com o consequente ataque das bactérias mentais do medo, cólera, preocupação, cobiça, tentação e descontrole. São doenças nascidas da ignorância da alma.

Lembre-se de que a ignorância é a mãe de todas as moléstias físicas, mentais e espirituais. Elimine a ignorância entrando em contato com Deus, pois assim o corpo, a mente e a alma ficarão livres de todas as doenças.

A vida humana pode ser comparada a uma casa com três janelas: o corpo, a mente e a alma. Por essas aberturas entram os três diferentes tipos de luz divina — conhecidos como raios de saúde, raios de aptidão e raios de sabedoria. Os três juntos são responsáveis pela saúde, pela tranquilidade mental e pela plena lucidez da alma do homem. Por isso se diz que ele foi criado à imagem e semelhança de Deus. Mas, se assim é, por que sofre de tantas maneiras? Resposta: porque o Homem, como filho de Deus, é independente.

O homem foi feito como um deus e, assim, recebeu do Deus Maior o privilégio do livre-arbítrio para ofuscar essa imagem com o erro ou para mantê-la limpa e brilhante com os raios da saúde, do poder e da paz. O homem tem independência e liberdade de escolha para viver com as janelas que dão saúde, força e luz abertas ou fechadas. Quando fecha as janelas da vida, os Raios Cósmicos conscientes ficam de fora e ele passa a viver na sombra da doença física, da inquietação mental e da ignorância crassa da alma.

Muitas pessoas deixam fechadas, por anos, uma ou mais janelas da vida. Por isso sofrem de doenças crônicas. Precisam, então, descobrir como abrir suas janelas e expor-se de novo aos Raios Cósmicos conscientes, que tudo curam.

O homem quer ser curado instantaneamente pelo poder divino, mas não consegue entender que a obra da cura depende dele próprio, pois Deus nunca quis que ninguém adoecesse. Deus concedeu ao homem o privilégio original de escolher entre expor-se aos raios ou deixá-los de fora. Deus não pode ser induzido por cerimônias, preces cegas ou predileções a alterar arbitrariamente suas leis. Deus só se abre à lei e ao amor. O amor é lei. Quando o homem fecha as janelas da vida que dão saúde, poder e luz, mantendo-as fechadas indefinidamente, deve ele próprio esforçar-se por abri-las de novo e deixar que a Luz, ansiosa por entrar e ajudar, penetre na casa.

Todas as doenças físicas, desequilíbrios psicológicos e doenças da alma nascidos da ignorância se devem ao erro que o homem comete deixando de fora os raios de Deus. Quer o homem tenha fechado consciente ou inconscientemente as janelas da vida responsáveis pela saúde, a conclusão lógica é que agora precisa reabri-las por esforço próprio. Ignorar a lei não o poupará dos efeitos da infração.

Há três maneiras de abrir as três janelas cerradas da vida. Essas três maneiras recebem geralmente o nome de cura. A cura pode ser classificada em: cura física; cura psicológica de preocupações, medos, nervosismo, etc.; e cura espiritual da ignorância da alma.

Existem diversos tipos de cura, cada um dos quais pode ser usado para combater doenças físicas, mentais ou espirituais. Dos diferentes tipos de cura — como remédios, injeções, afirmações, massagens, ajustamento de nervos ou vértebras, imaginação, vontade e fé —, a cura vibratória é da maior importância.

A cura vibratória empreendida pela própria pessoa consiste em experimentar internamente a energia carregada de força de vontade ou recorrer a cânticos, entonações da voz humana, palavras edificantes, frases e afirmações supraconscientes.

Os métodos de vibrações internas de energia só podem ser usados quando se segue um sistema de exercícios espirituais como o Yogoda. A vontade e a determinação mantêm o sangue fortificado com energia vital. Se você conseguir manter essa iniciativa e disposição mental o tempo todo, sentirá seu sangue carregado de corrente vital, que nos torna imunes à invasão de bactérias. Sorrir por dentro, cultivar a alegria, estar sempre pronto a servir e espiritualmente desejoso de ajudar os semelhantes — tudo isso mantém o corpo constantemente suprido de Energia Cósmica fresca, introduzida no corpo pela porta da *medulla oblongata*. Uma vontade forte retira energia dos Raios Cósmicos conscientes que rodeiam o corpo.

Por isso, fortaleça sua vontade e determinação em tudo. Seu corpo vibrará então, internamente, com a corrente vital. Um homem de vontade forte, graças à sua mente de alta frequência vibratória, pode expulsar a doença, o fracasso e a ignorância, mas a vibração da vontade tem de ser mais forte que a vibração da doença. Quanto mais crônica for a doença, mais firme, constante e inquebrantável devem ser a determinação, a fé e o esforço da vontade para sarar.

Cantar

Em conexão com o ato de cantar, salmodiar ou modular para expelir a doença física, a preocupação ou a ignorância espiritual, a pessoa deve conhecer a lei da entonação: do som alto ao baixo, do baixo ao sussurro, do sussurro ao mental, do subconsciente ao supraconsciente. Esse é o método para converter palavras significativas em experiências concretas — assimilando a verdade até ela se tornar parte da percepção da alma. Podemos também induzir primeiro o estado sereno, supraconsciente, e a partir daí cantar mentalmente, em silêncio ou em voz alta, como quisermos.

As palavras, ditas em voz alta ou apenas mentalmente, precisam revestir-se de fé e persistência supraconscientes para realizar uma cura específica. O cântico mental é melhor para os indivíduos; o cântico em voz alta, do tom baixo ao alto ou vice-versa, é bom para as congregações.

Antes de cantar, convém entender a lei da repetição. A mente ocidental às vezes não consegue captar a variação de ênfase dos cânticos hindus e ouve apenas uma repetição monótona de uma palavra ou palavras. Sem dúvida, repetir palavras sem vivenciar seu significado com consciência e profundidade é inútil. É o que a Bíblia quer dizer ao preceituar: "Não tomeis Seu santo nome em vão" — ou seja, não devemos clamar "Ó Deus, ó Deus!" com a mente dispersa ou desatenta. Longas preces intelectuais, cheias de preciosismos vocabulares, mas sem alma, não passam de barulho vazio.

É melhor dizer apenas uma frase como "Ó Pai, cura-me" ou "Estou bem porque Tu estás em mim", repetindo-a com vigor em voz alta, depois baixa, e por fim passando a uma afirmação mental até entender o que foi dito — ou seja, repetindo a frase com profundidade crescente e sentindo-a com a alma até captar seu significado em cada fibra do ser.

No momento em que a frase chega ao supraconsciente e se reveste de convicção íntima, um sopro de energia desce e cura o corpo, a mente e a alma, eletrocutando as bactérias físicas, paralisando os medos mentais e reduzindo a ignorância a cinzas.

O comissário de polícia de Chicago declarou recentemente que, se o barulho dos veículos pudesse ser eliminado, os habitantes da cidade viveriam mais dez anos. Ou seja, ruídos dissonantes afetam o sistema nervoso das pessoas, enfraquecendo o meio por onde a energia vital tonifica os principais órgãos do corpo. Com a deterioração do sistema nervoso, diminui o suprimento de sangue e energia, tornando o corpo um alvo fácil para a doença.

Por outro lado, sons harmoniosos e cânticos impregnados de energia anímica supraconsciente, força de vontade e fé estimulam os tecidos debilitados do sistema nervoso despertando neles energia vital. Desse modo, vibrações vocais podem curar quaisquer desequilíbrios do corpo, da mente e da alma. Uma palavra sincera e amiga, uma canção inspirada ou um conselho cheio de sabedoria têm aliviado muito sofrimento e iluminado muitas pessoas com a luz da alegria perene.

❦ ❦ ❦

A Cura de um Santo

Um homem estava morrendo de diabetes. Os médicos lhe deram três meses de vida. Ele decidiu, pelo tempo que lhe restava, encontrar Deus. Sentou-se para meditar, ampliando mais e mais o tempo em que conseguia permanecer sentado. A princípio, eram apenas quinze minutos por vez, após os quais precisava levantar-se e descansar. Aos poucos, porém, foi aumentando o período de meditação até chegar a várias horas ininterruptas. Orava constantemente: "Senhor, entra em meu templo arruinado!"

Os três meses previstos se passaram. Ele continuava vivo, aumentando cada vez mais os períodos de meditação. Decorreram três anos — e o homem não morria. Um belo dia, Deus lhe apareceu. O homem, emergindo do êxtase, descobriu que seu corpo estava completamente curado.

"Senhor", clamou ele, "não pedi que me curasses. Pedi apenas que entrasses em meu templo arruinado." E o Senhor respondeu: "Onde brilha Minha luz, as trevas não podem entrar". O santo — pois santo se tornara ele — escreveu então na areia: "Nesse dia o Senhor entrou em meu templo arruinado e o restaurou!"

Quanta força de vontade! Se você se esforçasse tanto assim, quem sabe até onde poderia chegar?! Como todos, você tem grande força de vontade. Por isso o conclamo: use-a!

❦ ❦ ❦

O Poder de Deus É Ilimitado

Todas as doenças são o resultado de colisões de uma vida frágil e sem harmonia com o muro de pedra da harmonia de Deus erguido em nosso íntimo. Atos pacíficos entram em sintonia com a paz de Deus sentida no silêncio interior — e o resultado é a felicidade. Atos condenáveis colidem com a paz do silêncio de Deus — e o resultado é a infelicidade e a doença.

Sem dúvida, alguns remédios curam, pois Deus atribuiu a ervas e minerais o poder de afetar o corpo do homem; mas remédios e médicos têm apenas poder limitado e muitas vezes se confessam impotentes em casos de moléstias crônicas.

O que destrói a dor e a ignorância, prevenindo acidentes para sempre, de modo que seu corpo, mente e alma sejam a imagem perfeita do Espírito? Isto: convença-se de que todos os métodos de cura humanos são limitados em seu poder de cura e de que só o poder de Deus, que tudo permeia e tudo cura, não tem limites.

Lembre-se: o mendigo só ganha a esmola, mas o filho recebe sua parte na herança. Não mendigue dinheiro ou saúde: exija seus perdidos direitos divinos à unidade com o

Pai. Quando conseguimos isso pelo jubiloso contato cada vez mais estreito e cada vez mais novo com Deus no silêncio, então todas as coisas, inclusive saúde, prosperidade e sabedoria, nos são acrescentadas. A alma, a mente e o corpo passam a ser percebidos como a perfeita manifestação do próprio Deus. É depois dessa constatação que o corpo pode manter-se permanentemente curado.

Enfim, o homem deveria depender cada vez mais da fonte interior da Consciência Cósmica, que é inesgotável, e cada vez menos de outras fontes de energia do corpo. A melhor forma de rejuvenescimento consiste em unir a consciência humana à Consciência Cósmica por meio da meditação.

Conservando sempre na mente os efeitos benéficos da meditação, sentindo a imortalidade no corpo, acreditando na vida eterna e não em suas mudanças ilusórias, e fruindo o oceano da Bem-aventurança Divina subjacente a todas as experiências, a alma pode assegurar o perpétuo rejuvenescimento não apenas dela própria, mas também do corpo. Tão logo se constata que o corpo não é algo isolado do Espírito, mas correntes vibratórias no oceano da Consciência Cósmica, o eterno rejuvenescimento do Espírito pode ser implantado no corpo.

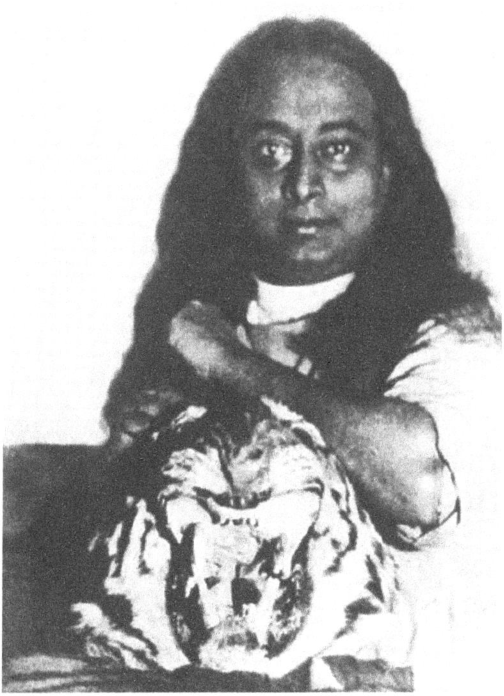

Apêndice

Valiosos Exercícios Yogoda Extraídos das Lições Originais de Yogananda

1. De pé, estique os braços acima da cabeça. Relaxe, mantendo a posição. Expire e segure a respiração, contando de 1 a 12. Inspire, sentindo que está absorvendo energia pelas pontas dos dedos e direcionando-a para a *medulla* e outras partes do corpo.

2. Estique os braços lateralmente, paralelos ao chão. Expire e junte a palma das mãos, relaxando todas as partes do corpo. Inspire, contraindo as partes do corpo contando de 1 a 20 enquanto recua os braços para os lados. Relaxe, expirando devagar e juntando as palmas. Repita duas vezes.

3. Contração em todo o comprimento: contraia (contração baixa, média e alta) a panturrilha esquerda e relaxe; repita com a coxa esquerda; com a panturrilha e a coxa direita; com o antebraço e o braço esquerdo; com o antebraço e o braço direito. Repita três vezes para cada parte.

4. Feche os olhos. Suavemente, contraia ambos os lados do peito. Concentre toda a atenção nessa parte, ao contraí-la. Mantenha a contração, contando de 1 a 30. Relaxe. Repita seis vezes de manhã, à tarde e à noite.

5. Aproxime o queixo do peito, contraindo os músculos da garganta. Inspire lentamente, erguendo a cabeça e inclinando-a para trás. Relaxe, deixe o queixo pender na direção do peito e expire.

6. Exercício para a memória da *medulla*: incline a cabeça para a frente, de modo que o queixo toque o peito. Junte os três primeiros dedos de cada mão e pressione com

eles a *medulla*. Aplique nessa região uma massagem circular, da esquerda para a direita, cinco vezes. Mantenha os dedos pressionando fortemente a *medulla* enquanto levanta a cabeça e inclina-a o máximo possível na direção da coluna, contraindo os músculos da nuca. Relaxe. Em seguida, incline a cabeça rapidamente na direção do peito, sempre mantendo os dedos em posição, e repita mais duas vezes.

7. Contraia o braço esquerdo inteiro (antebraço e braço). Faça-o vibrar, mantendo o cotovelo junto ao corpo. Erga o antebraço na direção do peito, como se levantasse um peso de 2 a 10 kg. Relaxe (retire energia) e deixe o braço pender. Repita o exercício com o braço direito e depois com os dois braços juntos.

8. Erga os braços lateralmente, paralelos ao chão e com as palmas para cima. Contraia ambos os braços e faça-os vibrar. Curve-os lentamente na altura dos cotovelos, como se puxasse um objeto pesado de cada lado. Relaxe. Deixe pender os braços. Repita duas vezes.

9. Deixe os pés firmemente plantados no chão. Erga os braços lateralmente, paralelos ao chão. Balance o corpo e os braços, de modo que o esquerdo passe pelas costas e a palma direita toque o centro do peito; inverta o movimento. Repita cinco vezes. Esse exercício estimula a coluna e o cérebro.

10. Exercícios para o estômago: esses exercícios estimularão o movimento peristáltico e o processo digestivo, eliminando a constipação e reduzindo a obesidade. Você deve praticá-los todos os dias logo depois de se levantar.

A. Incline-se para a frente, segurando os braços de uma cadeira e mantendo os seus esticados. Expire lenta e completamente. Tape as narinas e a boca com os dedos da mão esquerda. Com os pulmões vazios, contraia devagar o abdome, o máximo possível; em seguida, distenda-o até onde conseguir. Sempre com os pulmões vazios, repita duas vezes. Inspire. Repita o exercício todo cinco vezes. Se estiver com problemas no estômago, repita dez vezes.

B. Fique de pé com os olhos fechados. Pressione ambas as mãos sobre o abdome, uma por cima da outra. Contraia (contração alta) a parte inferior do abdome. Mantenha a contração e contraia em seguida a parte superior do abdome. Relaxe as duas. Repita seis vezes.

11. Exercício de Pular uma Corda Imaginária: gire as mãos como se estivesse acionando uma corda e pule sobre essa corda imaginária.

12. Caminhada ou corrida dentro de casa: descalço, poste-se a mais ou menos um metro de distância de uma janela aberta em seu quarto ou numa varanda. Sem sair do lugar, faça movimentos de andar ou correr. Primeiro, avance o calcanhar esquerdo na direção do quadril esquerdo e curve o braço direito para cima, com o cotovelo junto ao corpo; em seguida, baixe o pé esquerdo até o chão e deixe pender o braço direito. Agora, levante o pé direito na direção do quadril direito e curve o braço esquerdo para cima, com o cotovelo junto ao corpo. Vá alternando os dois lados até sentir que

basta ou até transpirar sem grande desconforto. Se quiser contar, ande ou corra de 25 a 400 passos.

Se praticar essa caminhada ou corrida duas vezes por semana, respirando ar fresco, fará muito para manter seu corpo em forma. Quando cansado, repita esse exercício várias vezes, completando-o com os de contração e relaxamento, até que a fadiga o abandone. (Pessoas com problemas de coração não devem praticar o exercício de corrida.)

Ananda Sangha

A Ananda Sangha é uma fraternidade de almas afins que seguem os ensinamentos de Paramhansa Yogananda. Promove a busca de uma consciência superior por meio da prática da meditação e do serviço ao próximo, com vistas à autorrealização. A Ananda Sangha conta com aproximadamente 10 mil buscadores espirituais no mundo inteiro.

Fundada em 1968 por Swami Kriyananda, discípulo direto de Paramhansa Yogananda, a Ananda possui sete comunidades nos Estados Unidos, na Europa e na Índia. Em todo o mundo, cerca de mil devotos moram nessas comunidades espirituais, que adotam os ideais de Yogananda de "vida simples e pensamentos elevados".

Swami Kriyananda conviveu com seu guru durante os quatro últimos anos da vida do Mestre e continuou a servir sua organização por mais dez, levando os ensinamentos do Kriya Yoga e da Autorrealização a audiências nos Estados Unidos, na Europa, na Austrália e, de 1958 a 1962, na Índia. Em 1968, juntamente com um pequeno grupo de amigos íntimos e alunos, fundou a primeira "comunidade de fraternidade mundial" nos contrafortes das Montanhas Sierra Nevada, na região nordeste da Califórnia. Inicialmente um retiro de meditação situado em 67 acres de florestas, a Ananda World-Brotherhood Community engloba hoje mil acres, onde cerca de 250 pessoas vivem uma vida dinâmica e plena, baseada nos princípios e práticas da evolução espiritual, mental e física, cooperação, respeito e amizade divina.

Atualmente, após quarenta anos de existência, a Ananda é uma das mais bem-sucedidas redes de comunidades com propósito claro no mundo. Comunidades urbanas foram criadas em Palo Alto e Sacramento, Califórnia; Portland, Oregon; e Seattle, Washington. Na Europa, perto da cidade italiana de Assis, um retiro e comunidade espiritual existe desde 1983, abrigando hoje cerca de cem residentes de oito países.

Informações para contato

Endereço postal: 14618 Tyler Foote Road — Nevada City, CA 95959
Telefone: 530.478.7560
Homepage: www.ananda.org
E-mail: sanghainfo@ananda.org

The Expanding Light

O retiro para convidados da Ananda, sem fins lucrativos, The Expanding Light, é visitado anualmente por mais de 2 mil pessoas. Oferecemos, o ano inteiro, uma série de cursos e seminários sobre yoga, meditação, práticas espirituais, treinamento para professores de yoga e meditação, e retiros para renovação pessoal. The Expanding Light recebe buscadores de todas as formações. Aqui você encontrará um ambiente afetuoso e acolhedor, propício à evolução pessoal e à renovação espiritual.

Esforçamo-nos por criar um ambiente descontraído e estimulante, ideal para as pessoas promoverem o próprio desenvolvimento espiritual. Adotamos as práticas de meditação e a filosofia do yoga não sectárias de Paramhansa Yogananda e seu discípulo direto, Swami Kriyananda, fundador da Ananda. Yogananda chamou seu caminho de "Autorrealização" e nosso objetivo é ajudar os convidados a sintonizarem-se com o próprio Eu superior.

Os convidados em The Expanding Light podem aprender as quatro práticas que compõem os ensinamentos do Kriya Yoga de Yogananda: os Exercícios de Energização, a técnica de concentração *Hong Sau*, a técnica AUM e o Kriya Yoga. As duas primeiras técnicas estão disponíveis para todos os convidados; as outras duas, para os interessados em se aprofundar nesse caminho.

Informações para contato

Endereço postal: 14618 Tyler Foote Road — Nevada City, CA 95959
Telefone: 800.346.5350
Homepage: www.expandinglight.org
E-mail: info@expandinglight.org